# BOOKMARK

## 翻訳者による海外文学ブックガイド

## 2

金原瑞人 三辺律子 編

edited by
Mizuhito Kanehara & Ritsuko Sambe



CCCメディアハウス

# はじめに

　ぼくは中学校に入っていきなり本を読みだしたのだが、その頃読んだＳＦもミステリも純文学もすべて翻訳物だった。もちろん、柴田翔の『されどわれらが日々』、庄司薫の『赤頭巾ちゃん気をつけて』、三島由紀夫の「豊饒の海　四部作」なんかは読んでいたけど、やっぱり、翻訳文学が好きだった。だから、浪人二年目に文転（理系志望だったのが文系に転向すること）して私立大学を受けたときも、日文科にはまったく興味がなく、仏文科、露文科、独文科などを受けたあげく、すべて落ちて、その頃、文学志向の若者にはあまり人気のなかった英文科に落ち着いた。

　そして大学院までいって、翻訳をすることになった。ところが、ふと気がつくと、最近、若者があまり翻訳物を読まなくなっているではないか。え、海外の作品がおもしろくなくなったのかと不安になったのだが、落ち着いて考えてみると、日本の作品のグレードが上がってきたのだった。それは音楽も映画も同じで、六〇年代、七〇年代、八〇年代とくらべると日本文化のレベルはずいぶん高くなった。欧米に対抗できるくらいになったとしたら、日本語で楽しめたほうがいいじゃん、身近だし、わかりやすいし、共感しやすいし、となるのは当然だし、とてもよくわかる。英語圏の国々はもうずいぶん前から、ある意味、文化的には傲慢なほど自給自足の状態だ。本も音楽も映画も英語のものだけで満ち足りている。

ぼくもじつをいうと、音楽と映画はさておき、本に限っては日本の作品をずいぶんよく読むようになっていて、日本の作家、すごいじゃん、もっと翻訳して、海外に紹介しろよと思うようになってきた。

とはいっても、翻訳作品の魅力にはいまでも敏感に反応してしまう。そして、いまでも日本では海外のおもしろい作品が次々に紹介されている。とくに最近はアジア、アフリカの作品も続々と翻訳されているし、翻訳される言語も多岐にわたっている。今年が九回目になる日本翻訳大賞の候補作のバラエティの豊かさにもその一端がうかがえる。

いま、ぼくは文学的にとても幸せな時代にいるのかもしれない。ここ日本では、自国の純文学もエンタテインメントもますます充実しつつあるだけでなく、明治以降の翻訳精神が変わらず生きていて、謙虚に、そして貪欲に海外の作品を吸収しつつあるのだから。

まさにそんな幸せな時代を象徴するかのように、「BOOKMARK」という冊子が出たのはすごいなあと、自画自賛しているところだ。

さて、ここからいきなり、敬体に変わります。

なにしろ、各号の特集でお願いした訳者の方々がほとんどみなさん快諾して、じつに個性的で魅力的な紹介文を寄せてくださったし、巻頭のエッセイもいまの日本をどことなく、なんとなく、いや思い切り、あるいはしかたなく背負っていらっしゃる方々が、喜んで、あるいはしかたなく書いてくださいました。とくに特別号の

「Books and Wars　戦争を考える」のときには、いまの日本でクリエイティヴな仕事をなさっている方々の気持ちのこもったエッセイをたくさんいただきました。

飢えている子どものために何ができるのか、戦争で死んでいく人々のために何ができるのかと、たまに考えることがあります。その答えのひとつが、自分の好きな作品を翻訳することであり、もうひとつの答えが、「ＢＯＯＫＭＡＲＫ」という冊子を発行することでした。

これまでに、いろいろな形でご協力してくださった方々――執筆してくださった方々だけでなく、書誌情報など細かいところのチェックをしてくださった方々、また、書店や図書館への配送の手配をしてくださった方々、また、この冊子が出るたびにコーナーを作ってくださった図書館や書店の皆様、また、「ＢＯＯＫＭＡＲＫ」が出るたびに書店に足を運んでくださった皆様、あと――ここで書き忘れたけど、あとで思い出して、あ、ごめんなさいというに違いない皆様にも――心からの感謝を！

二〇二三年五月十五日

金原瑞人

翻訳者による海外文学ブックガイド2｜もくじ

※本書は「BOOKMARK」十三号（二〇一八年十二月）〜二〇号（二〇二三年二月）をもとに、加筆修正をしたものです。

# 13

## 絵と字で、無敵！　グラフィックノベル特集

一般書やヤングアダルト小説だけでなく、児童書もかなり訳しているせいか、図書館などの講演で、「小学校の頃はどんな本を読んでいたんですか」という質問をよく受ける。残念ながら、ぼくの小学校時代は、ほぼマンガとアニメで終わっている。ちょうど、マンガが月刊誌から週刊誌に移行していく時期で、本当におもしろかった。その後、中学生から本も読むようになったものの、古本屋にいくと必ず『ガロ』か『COM』を買って帰った。その後、大学で教えるようになってからも学生とマンガに関する情報交換は頻繁に行っていた。というわけで、とにかく、ここ10年くらいの海外のコミック、グラフィックノベル、バンド・デシネの広がりようが楽しくてしょうがない。そして日本でも次々に紹介されるようになってきたのが、さらにうれしい。

ただ、残念なのは、出版されたかと思うとすぐ絶版になることだ。ヴィンシュルスの『ピノキオ』、ホドロフスキー（わが敬愛する映画監督）&メビウスの『アンカル』、ニコラ・ド・クレシーの『氷河期』、ニール・ゲイマン原作の『サンドマン』のシリーズなどなど。そして、絶版になるといきなり値段が高くなる。日本でもこういったジャンルの本のファンが増えて、いい作品がいつまでも読み継がれることを祈って、今回の特集を組むことにしました。（金原瑞人）

# グラフィックノベルの新時代とスタン・リー95歳の死

小野耕世

私が翻訳した『マウス』『マウスII』（晶文社）の作者アート・スピーゲルマンとは、1980年代に東京で会って以来の仲だが（その後、来日していない）、『マウス』がアメリカで出たとき、グラフィックノベルとも呼ばれた。「いやあ、コミックスを高級めかした言いかたで、ただのコミックスでいいのさ」とニューヨークで会った彼は笑っていた。すでに1960年代に「グラフィックストーリー・マガジン」というコミックス研究誌がアメリカで出ていて、私は日本のマンガ事情などを寄稿していたことを思い出す。

そしていまや、知的読者層であるおとながコミックスを読むのは全世界的な傾向で、例えばミュージカル化され大成功のアリソン・ベクダルの『ファン・ホーム』（小学館集英社プロダクション）など、すばらしい作品群が翻訳紹介され、グラフィックノベル全盛期の感がある。そんな折、マーベル・コミックスのカリスマ的象徴であるスタン・リーが95歳で亡くなった。1972年にニューヨークで最初に会って以来交流してきた私は、取材を受けあわただしかったが、昨年、彼が1962年に生みだした『スパイダーマン』の最初期約3年分の『マーベルマスターワークス：アメイジング・スパイダーマン』（ヴィレッジブックス）を自分で翻訳しておいて良かったと思う。

なにしろ約250ページの画面のどこにも（通行人にも）アフリカ系の人たち（黒人）は、

描かれていないのだ。つまり、ラルフ・エリスンの小説『見えない人間』（早川書房、1961年）そのまま、彼らは存在しながら無視されているのだが、この翻訳が出た直後に公開された映画『スパイダーマン：ホームカミング』では、ニューヨークのエスニック模様は華やかで、スパイディはアフリカ系の高校の親友の助けを得て大活躍するのだった。私は1970年代から、マーベル・コミックスを五千ページほど訳してきたと思うが、つくづく時代は変わったのだと実感した。

　そしていま、ヨーロッパのカラフルなグラフィックノベル群もすばらしい。例えば、フランスのカトリーヌ・ムリスによる『モデルヌ・オランピア』（オルセイ美術館シリーズの第1冊）など、傑作群の翻訳を、私は待ちわびているのである。

*"Maus I A Survivor's Tale: My Father Bleeds History"*
*"Maus II A Survivor's Tale: And Here My Troubles Began"*
Art Spiegelman

アウシュヴィッツを
生きのびた父親の物語
『マウス』『マウスⅡ』
アート・スピーゲルマン 著
小野耕世 訳
晶文社　＊『完全版マウス』として、パンローリングでも販売されています。

01

*"Ibicus"*
Pascal Rabaté

『イビクス
ネヴゾーロフの数奇な運命』
パスカル・ラバテ 著
古永真一 訳
国書刊行会

アレクセイ・トルストイ原作の小説を、バンドデシネの名手パスカル・ラバテが見事にマンガ化した作品。混迷を深めるロシア革命の時代、ジプシーの女占い師に、自分の出世と引き換えに世界の破滅を宣告された男の数奇な運命を描く。主人公は世の中のどさくさに紛れて一旗揚げようと奮闘しながら、だましだまされ、命からがらペトログラード（現・サンクト－ペテルブルク）、モスクワ、ハリコフ（ハルキウ）、オデッサ、イスタンブールとさまよい続ける。海外のマンガというと日本のマンガに比べて読みづらいイメージがあるかもしれないが、この作品はすこぶる読みやすい。読者を退屈させない物語の展開、個性豊かなキャラクター、モノクロでリズミカルなコマ割り、多すぎないセリフ、巧みで流麗な筆さばき、そこはかとなく漂うユーモア、詩情あふれるイメージ……理由はいくつも挙げられるだろう。とにかく夢幻的と評するほかない世界へとタイムスリップできる。訳すときに原作の小説も読んだが、それよりはるかにおもしろい。文学作品をマンガ化して失敗することは多いが、これは間違いなく成功例である。

（古永真一）

02

*“Alpha... directions”*
Jens Harder

『アルファ』
イェンス・ハルダー 著
菅谷 暁 訳
国書刊行会

ビッグバンから人類誕生まで、およそ１４０億年におよぶ宇宙・地球・生命の歴史を、約２０００枚の絵によって描いたのが本書です。誰も見たことのないこれらの太古の光景をできる限りリアルなものにするには、もちろん自然科学の知識に頼らなければなりません。しかしそれと同時に必要なのが想像力です。たとえば恐竜の姿形は化石によってほぼ完全に復元できるとしても、それを「光景」のなかに据えるためには、他の動物、周囲の植物、地形、さらには「空気感」までも描き込まなければならないからです。

著者のハルダーも科学的知見は尊重しますが、それ以上の新機軸を導入して光景を躍動させます。先史人の洞窟壁画から最新の３Ｄ映像まで、あらゆる時代とジャンルの図像表現を太古の光景のなかに並置します。こうしておよそ40億年前の原始海洋と北斎の「神奈川沖浪裏」が重ね合わされ、白亜紀のティラノサウルスの間に突如ゴジラが出現します。なんと奇想天外な試みでしょうか。そういえばこの作品は、２０１０年のアングレーム国際漫画祭で「大胆賞」という面白い名前の賞を獲得しました。

（菅谷 暁）

03

*"Killing and Dying"*
Adrian Tomine

## 『キリング・アンド・ダイング』

エイドリアン・トミネ 著
長澤あかね 訳
国書刊行会

アメリカン・グラフィック・ノヴェルの旗手、エイドリアン・トミネによるオールカラーの短篇集。ニューヨーカー誌の表紙のイラストなど、スタイリッシュな画風で知られるトミネが、6通りのビジュアルと語り口で描く6つの人生の物語だ。

「アート」に目覚めて迷走する植木職人。ポルノ女優にそっくりなせいで災難に遭う女子大生。DVっ気のある麻薬密売人と暮らす女……。どの人物も不器用で、さえなくて、何だか身につまされる。とくに表題作「キリング・アンド・ダイング」の口下手なのにお笑い芸人を目指す少女と抑圧的な父親とのぎこちないやり取りには、読むたびに胸がいっぱいになる。理解し合いたいのにしきれない、もどかしさや愛おしさが紙面にあふれる。

「純文学的」「文芸作品のよう」と評される本書だが、訳者はむしろ「映画のようだ」と感じている。10～20ページほどの短篇ながら、味わい深い映画を観たあとのような余韻に浸れる。ハッピーエンドではないが、ほのかに希望が灯るようなエンディングに、明日こそいい日にしようと思えるのだ。

（長澤あかね）

04

*"Jolies Ténèbres"*
Marie Pommepuy / Fabien Vehlmann
Kerascoët

『かわいい闇』
マリー・ポムピュイ
ファビアン・ヴェルマン 作
ケラスコエット 画
原 正人 訳
河出書房新社

どしゃぶりの雨が降り注ぐ草むらに少女が仰向けに寝そべっている。どうやら彼女は死んでいるらしい。目や口、鼻や耳から小人のような存在がぞろぞろと這い出てくる。少女の死因はなんなのか、小人たちは何者なのか、説明は一切ない。突如として少女の体という居心地のいい住処を追い出された天真爛漫な小人たちは、敵意をむき出しにした大自然の中でサバイバルを強いられる。季節の移ろいとともに朽ちゆく少女の死体のかたわらで、生き残った者たちはなりふり構わず生に執着する。やがて陽気な夏が過ぎ、豊かではあるが物憂げな秋と、ついで死のごとき沈黙が領する冬が訪れる。ただひとり主人公のオロールが皆の幸せのために孤軍奮闘するが、制御不能な自然と仲間たちの身勝手な行動に疲れ果て、やがて彼女は悪意を研ぎ澄ませていく――。バンド・デシネの専売特許といえば繊細なカラーだが、本書の美しい水彩は必見。移ろう季節を背景に、写実的な風景とデフォルメされたキャラが、荘重さと荒唐無稽さが、生と死が融合し、名づけ得ぬ感情に形が与えられていく。

（原 正人）

05

"Spinning"
Tillie Walden

『スピン』
ティリー・ウォルデン 著
有澤真庭 訳
河出書房新社

テキサスに住むメガネっ娘、ティリーは5歳からずっとスケートに打ちこんできた。その甲斐あって、シングルスケートの選手としても、シンクロスケートの選手としても、毎月行われる地方戦では優勝を狙える実力を持つ。きらびやかな衣装をつけ、気持ちよさそうに滑る美しきスケーターの卵たちは、思春期のまっただなか。リンクの内でも外でも、悩みは尽きない。まして、同性の女性に恋するレズビアンだったとあれば……。

練習と試合に明け暮れるうち、ティリーは自分がスケートを好きなのか、何のために滑っているのか、わからなくなってくる。ひたすらにスピンし続けた足を止めたとき、ティリーの目に映るのは？

グラフィックノベル界のアンファンテリブル、ティリー・ウォルデンのメモワールは絵柄もコマ割りもけれん味がなくてとっつきやすいが、生々しく、胸に迫る（執筆当時21歳）。印象的なのは、空間をたっぷりとるティリーのコマ使いだ。やり場のない気持ちに襲われたとき、ティリーはよく、天を仰ぐ。視線の先の広がりは、スケートリンクの広さ、そしてテキサスの空の広さから来ているという。

（有澤真庭）

## 06

*"Ms. Marvel : No Normal"*
G. Willow Wilson
Adrian Alphona

『Ms.マーベル
もうフツーじゃないの』
G・ウィロー・ウィルソン 作
エイドリアン・アルフォナ 画
秋友克也 訳
ヴィレッジブックス

「ごく普通の若者が突然スーパーパワーを得たら、どうする？」

アメリカン・コミックの世界で何千回と繰り返されてきた問いに、マーベル社が２０１４年に示した回答が「Ｍｓ.マーベル」、カマラ・カーンである。ただし彼女の設定は、業界の標準から少し外れていた。白人でも黒人でもヒスパニックでもなく、パキスタン系ムスリムの女子高生だったのだ。

ところが、誌面で描かれるカマラの内面は……本当に、驚くほど「普通」だった。ベーコンを食べられない戒律を嘆き、モスクでの説教中に雑談し、厳しい門限に背いて部屋を抜け出す。おまけにスーパーヒーローおたくで、ゲーマー。ありふれた、善良な凡俗である。そんな彼女が、思いがけず肉体変形というパワーを身につけ、人助けのため奮闘する事になる。

善意さえあれば、誰でもヒーローになり得る。その伝統に則っている限り、人種も宗教も決定的な差ではない。かくて心優しいムスリムの少女は、多様性社会の象徴として人々に愛されている。

（秋友克也）

07

*“Madgermanes”*
Birgit Weyhe
『マッドジャーマンズ ドイツ移民物語』
ビルギット・ヴァイエ 著
山口侑紀 訳
花伝社

冷戦下の東ドイツ。同じ共産主義国であるモザンビーク（南アフリカの東隣）からは、「エリートの教育」という名目で約2万人もの労働者が送り出されていた。実際には使い捨ての期間工として、祖国での内戦の板挟みに遭い、さらには給料の大半が天引きされた彼らは、東西統一後に帰国させられ、自国で「マッドジャーマンズ（＝ドイツ製、の意味）」と呼ばれるようになる――。

母に連れられアフリカで育ったドイツ人の著者が、現地やドイツでの多数の聞き取りをもとに、美しい二色でまとめあげた、架空の3人の物語。遠く離れた世界の物語でありながら、読む人に、身近で働く外国人であったり、「故郷とは何か」という問いであったり、登場人物（背後には実は無数の人々が……）たちが悩む愛や家族との関係に対して、多数の問いを投げかける内容となっている。

近年ドイツでは、女性作家のグラフィックノベルが多数刊行されており、『マッドジャーマンズ』は、その中でも評価の高い一冊だ。（山口侑紀）

08

"La Différence invisible"
Julie Dachez
Mademoiselle Caroline

『見えない違い 私はアスペルガー』
ジュリー・ダシェ 作
マドモワゼル・カロリーヌ 画
原 正人 訳
花伝社

フランス語圏のマンガ〝バンド・デシネ〟では1990年代から作者が自分の半生を語る自伝や身辺雑記が増え始め、2000年代以降それがすっかり定着。これまでにさまざまな名作が誕生している。2010年代に入ると女性の活躍も目立つようになるが、本書もそうした流れを汲む女性作家による自伝的バンド・デシネ。とはいえ、アスペルガー当事者のジュリー・ダシェが手がけるのは原作のみ。作画は、アスペルガー当事者でこそないが、自身産後鬱を患い、その体験をバンド・デシネにしたこともあるマドモワゼル・カロリーヌが担当している。主人公の27歳のOLマルグリットとは、原作者ジュリー・ダシェの分身に他ならない。生きづらさに耐えながら生きていたある日、マルグリットは自分がアスペルガー症候群だと知る。それ以来、彼女の生活は一変。社会による正常性の押しつけに屈することなく、ようやく自分自身を肯定できるようになる。アスペルガー症候群や広汎性発達障害、自閉症スペクトラムを扱ったマンガは日本にも少なからずあるが、バンド・デシネならではのアプローチが魅力。（原 正人）

## 09

"*March: Book One*" "*March: Book Two*" "*March: Book Three*"
John Lewis / Andrew Aydin
Nate Powell

『MARCH　1 非暴力の闘い』
『MARCH　2 ワシントン大行進』
『MARCH　3 セルマ 勝利をわれらに』
ジョン・ルイス
アンドリュー・アイディン 作
ネイト・パウエル 画
押野素子 訳　岩波書店

50年代から60年代の公民権運動で指導的な役割を担い、現在も政治家として大きな存在感を示すジョン・ルイス下院議員（＊2020年7月に死去）。『MARCH』は、ルイス議員の目を通じて公民権運動を描いた社会派グラフィック・ノベル3部作で、全米図書賞をはじめ数々の賞に輝いた。現在では、ニューヨーク市の公立学校の恒久プログラムにも取り入れられている。

「考えるな、感じろ」とはブルース・リーの有名な台詞だが、『MARCH』は「考えるよりも、感じる」作品だ。漫画とはいえ文字が多いため、細かな歴史的事実などは、あまり頭に残らないかもしれない。しかし、非暴力ながらも断固たる姿勢で、人間の尊厳を求め続けた市井の人々（特に若者たち）の「静かなる勇気」に触れれば、読む者の心は上下に動き、左右に揺さぶられるはずだ。本書を読み終えた時、大人たちは自問するだろう。自分には不正に立ちあがる勇気があるだろうかと。そして、子どもたちは希望を抱くだろう。絶望せず、歩み続ければ、何だって実現可能なのだと。

（押野素子）

"Muchacho"
Emmanuel Lepage

『ムチャチョ　ある少年の革命』
エマニュエル・ルパージュ　著
大西愛子　訳
飛鳥新社

1976年、独裁政権下の中米ニカラグア。上流階級出身の若き修道士ガブリエルは、その絵の才能を見込まれ、片田舎の小さな教会の壁画制作を依頼される。しかし彼の絵は技術が先行し、ひとの心を打つものではない。教会の神父に「ものの表皮をめくる」ように描けと言われ、外に出て村人と触れ合おうとする。そこには温室育ちの彼が知らない世界があった。村人たちは貧困にあえぎ、現政府に不満を持っていた。彼らと過ごすうちにガブリエルも自分自身と向き合わざるを得なくなり、次第に革命運動に魅せられていく。一言で言えば、少年の成長物語だ。少年から大人への成長、画家としての成長、性の目覚め。ストーリーを追って読み終えたら、今度は絵を味わいながら読んで欲しい。ルパージュの才能が存分に発揮されているのがわかるだろう。彼の絵は力強く、繊細で美しく、色彩は鮮やかで構図も大胆だ。なまめかしい身体の絵も魅力だが、むせるような香りまで伝わってくるようなジャングルの絵が気に入っている。ルパージュこそ「ものの表皮をめくる」ように描いているのだ。

（大西愛子）

11

*"À la recherche du temps perdu*
*Du côté de chez Swann"*
Marcel Proust
Stéphane Heuet

『失われた時を求めて
スワン家のほうへ
フランスコミック版』
マルセル・プルースト 作
ステファヌ・ウエ 画
中条省平 訳
祥伝社

『失われた時を求めて』が世界文学史上ベスト級の小説であることは間違いありません。しかし、異常に長いだけでなく、読み始めればすぐに分かるとおり、文章があまりに緻密すぎて、読みとおすのは至難のわざです。アンドレ・ジッドなど大読書家でも音を上げてきました。

そこでマンガ版の登場です。私が翻訳した『スワン家のほうへ』は、『失われた時を求めて』の第1篇を編集して、約200ページのコミックにしたものです。冒頭から、マドレーヌを食べて幼年期の記憶を一気にすべてとり戻すあの有名な場面まで、なんと15ページ！　これなら誰にでも読めます。

しかし、原作のエッセンスはきちんと保たれています。原文の煩瑣な枝葉は剪定してありますが、すべてプルーストが書いたオリジナルの文章です。要約や書き替えではないのです。

そして私は、気が遠くなるような長い原文を、映画の字幕のように訳そうと心がけました。これで『失われた時を求めて』の第1篇はクリアできるはずです。どうかお試しください。

（中条省平）

12

*"C'était la guerre des tranchées"*
Tardi

『塹壕の戦争 1914–1918』
タルディ 著
藤原貞朗 訳
共和国

本書には第一次世界大戦で犬死した一千八百万の無名戦士の魂が、いまだ鎮まることなく蠢いている。かれら名もなき兵士たちは、上官の指示に従って敵弾を浴び「祖国のために」死ぬか、上官に背いて敵前逃亡の咎で「祖国によって」殺されるか二者択一しかなかった。作者はシンプルに訴える。〈御上の美辞麗句に騙されるな！〉、〈上官には従うな！〉、〈自分の頭で考えろ！〉。

タルディはこの戦争を30年描き続ける筋金入りの戦争マニアにして、漫画史上最強の反戦家だ。歴史家ヴェルネとタッグを組み、微に入り細を穿って戦争のリアルを掘り起こし、兵士の無残な死にザマを淡々とグロテスクに描き出した。大戦百周年の年には国家勲章授与候補となるが、「国に丸め込まれるのはまっぴら」と受勲を拒否、忖度なしの反体制を貫いて、漫画家をなめるなよと息巻いた。

古風で直球の政治的な漫画である。線描もコマ割りも古クサイ。だが、忘れてはいけない。かつて漫画は風刺を武器に権力者に喧嘩を挑むメディアだった。本作はその意味で古典的かつ普遍的だ。本国フランスのみならず、ドイツでもあの北米でも大きな賞をすでに得ているゆえんだろう。

（藤原貞朗）

13

*"The Walking Dead Volume 1"*
Robert Kirkman
Tony Moore / Cliff Rathburn

『ウォーキング・デッド 1
過ぎ去りし日々【デジタル版】』
ロバート・カークマン 作
トニー・ムーア／クリフ・ラスバーン 画
風間賢二 訳
ヴィレッジブックス

全米で大人気のTVドラマ・シリーズの原作です。現在シーズン9が放映中（注：2023年3月、シーズン11で完結）で、我が国でもご覧になっている方が多いことと思います。が、原作があることを知らない人もたくさんいるようです。ご存知の方も映像で堪能しているからいいや、なんて思っているかもしれません。もちろん、TVドラマ版は高視聴率を出し続けているのも納得の面白さです。しかし、原作はそれを上回る完成度を誇っています。なにしろ、本国では15年も連載が続いているのですから（注：2019年に完結）。

それに原作とTVドラマ版ではストーリー展開はおおむね同じですが、キャラクターの登場・退場、相関関係がかなりちがいます。つまり原作を読み、TVドラマ版を観ることで、〈ゾンビ・アポカリプス〉の荒廃した世界における愛憎渦巻く権力闘争の人間ドラマがより厚みを持ち、立体的に浮かび上がってきます。本シリーズは単なるゾンビもののホラーではありません。主人公たちグループのサバイバルを通して、アメリカ建国神話とヒューマニティの復興を語る壮絶な叙事詩でもあるのです。

（風間賢二）

14

*"El bosque de los suicidas"*
El Torres
Gabriel Hernández

『自殺の森』
エル・トーレス 作
ガブリエル・エルナンデス 画
轟 志津香 訳
河出書房新社

スペインの奇才コンビが描くホラー漫画。自殺の名所、青木ヶ原樹海を舞台にアランとリョウコ、ふたりのストーリーが展開していく。

元恋人マサミの怨霊に取り憑かれたアランは霊に導かれるように青木ヶ原に迷いこみ、そこで森林監視員のリョウコに救助される。リョウコは監視員として働きながら、樹海で命を落とした父の遺体を捜していた。それは苦労をかけた父への罪滅ぼしでもあった。

アランとリョウコは過去を清算し、新たな一歩を踏み出すことができるのか？

知り合いの日本人から青木ヶ原の話を聞いた著者は、この森を舞台としたホラー漫画を書かずにはいられなかったそうだ。とはいえ異国の地での物語にリアリティーをもたせるのに苦心したようで、日本の風景から怪談、幽霊、神道にいたるまでかなり研究したという。

ホラー漫画でありながら人間の心の闇と孤独を見事に描きだした本書は「日本版エクソシスト」とも評され、スペインコミック界の歴史あるHaxtur賞を受賞した。オールカラーの絵はおどろおどろしく魅惑的だ。巻末のエッセイとスケッチも必見！

（轟志津香）

15

"Vincent"
Barbara Stok
『ゴッホ――最後の3年』
バーバラ・ストック作
川野夏実訳
花伝社

この作品は、ゴッホの生涯のうち、パリのリヨン駅で弟テオに別れを告げ、アルルへと旅立ったあとの最も濃い最後の3年を描いています。アムステルダム・ゴッホ美術館監修のもと、実際の書簡や絵画に基づいて制作されました。オランダで最も読まれているグラフィックノベルです。

アルルで過ごす間、ゴッホは画家の協同組合を作りたいという大きな希望を掲げ、「ひまわり」「星月夜」「夜のカフェテラス」といった誰もが知る傑作を生み出します。その一方で、度重なる発作によって混乱状態に陥り、それが耳切り事件という悲劇へと繋がっていきます。

作者バーバラ・ストックの持ち味であるシンプルで親しみやすい画風によって、今回、巨匠ゴッホに新たな形で魂が吹き込まれました。ゴッホに関する書籍は数あれど、読者は、これまでになく、ゴッホを身近な存在として感じることができるでしょう。さらに日本語版では、参考にされた書簡の番号や登場した絵画の題名などがコマ下に追加されています。ゴッホに詳しくない方でも、入門書としてきっと楽しんでいただけるはずです。

（川野夏実）

16

*"Thoreau at Walden"*
Henry David Thoreau
John Porcellino

『シンプルに暮らそう！
ソロー「森の生活」を漫画で読む』
ヘンリー・デイヴィッド・ソロー 文
ジョン・ポーサリーノ 編・絵
金原瑞人 訳
いそっぷ社

コミックにするとしたら、『オイディプス王』、『水滸伝』といった活劇ものもいいし、『嵐が丘』、『アンナ・カレーニナ』、『風と共に去りぬ』といった大恋愛ものもいいし、カフカやマルケスの思い切り独創的な短編もいいだろう。だけど、ソローの『森の生活』をコミックにする？ と思うんだけど、これをポーサリーノがやっちゃった。彼の絵ときたら、ありえないくらいシンプルなのに、ありえないくらい表情が豊かで、つい見入ってしまう。あとがきにも書いたんだけど、Part Oneに出てくる「ずいぶん前のことだが、わたしは猟犬をなくし、赤茶色の馬をなくし、キジバトをなくし、今でも彼らのあとを追っている」という一文は、とりとめのないつぶやきのようなもので、それほど印象的ではない。それなのに彼の絵をみると、そのつぶやきが心に響いて、思わず引きこまれそうになってしまう。そのまま切り抜いて壁に貼っておきたいと思うほどだ。

もしこれを読んで面白いと思ったら、この一部が収録されている『大人のためのコミック版 世界文学傑作選 上・下』もぜひ！

（金原瑞人）

NO MORE DREAM...

# 14

## against! 「ノー」と言うこと

昨年、特に印象に残っている映画に、アメリカの人種差別の歴史を描いた『私はあなたのニグロではない』がある。観た後の感想をひと言で言えば「怒り」。こんな理不尽が行われていたことへの怒り。未だに変わっていないことへの怒り。でも、その後ふと思った。私は、黒人でもアメリカ国民でもないのに、どうしてこんなに怒ってるんだろう？

正義感？　道徳心？　義憤？　うーん、私はそんな立派な人じゃないし……と思っていた時に、女性差別に憤る男性と話す機会があって、思わずきいてしまった。「〝他人事〟なのにどうしてそんなに怒れるの？」

そんな（不躾な）質問を繰り返すうちに、だんだんわかってきた。たぶん私は、人種差別（女性差別、性的指向・自認による差別……）の根にあるものに対して怒っているのだ。だから、〝他人〟のためじゃなくて（それも少しはあるけど）、自分のために怒ってるんだ。だから、黙っていられないし、変えたいと思う。最後にキング牧師の言葉を。

In the end, we will remember not the words of our enemies, but the silence of our friends.（最後には、わたしたちは敵の言葉ではなく友の沈黙を覚えているものなのだ）

（三辺律子）

# 不羈という一言

あさのあつこ

不羈という言葉を知ったのは恥ずかしながら、もうかなりの年になってからだ。たまたま読んでいたエッセイの中で出会った。それまで言葉自体を知らなかったのだから、当たり前だが意味などわからなかった。それなのに、その二文字が妙に心に引っ掛かって広辞苑をひいた。もう何十年も昔、物書きになる以前の話だ。

不羈　①しばりつけられないこと。束縛されないこと。おさえつけにくいこと。
　　　②才識すぐれて常規で律しがたいこと。

と、あった。ちなみに羈はつなぐの意味があるとのこと。胸が高鳴った。どうしてだかわからない。そのときも今も、うまく説明できない。ただ刻印されたように感じた。心底のどこかに二つの文字からなる一つの言葉が刻み込まれた。その数年後、さまざまな幸運が重なって物書きとしてデビューできた。１９９１年、二十世紀が間もなく幕を閉じようかというころだ。細々とでも書き続けていくうちに、見えてきたものがある。書くことで鮮明になったものがある。不羈の魂を物語にしてみたい。そんな、焦燥にも似た想いがリアルに心を揺さぶった。埋没するのではなく、溶けるのではなく、流されるのでもない。個として抗い続ける不羈の魂を確かな物語として確かな人格と形として書ききりたい。その想念を梃にして、わたしはわたしなりに挑み続けてきた。なかなか、うまくいかない。だから、今も挑戦は終わらない。一つの想いにしがみついてどうすると弱気になることもある。自分の書くものが古ぼけて、時代遅れで、不格好だとの自覚もある。けれど、やるしかない。ここ数十年でわたしたちが失った何かは多々あるけれど、その最たるものが抗うことだと思う。不羈という言葉だと思う。個を埋めようとする、溶かそうとする、流し去ろうとする大きな力に抗し、戦う。その意気をわたしたちはいつの間にこんなに萎えさせたのだろうか。

まだ書ききれていない不羈の物語。それを糧として、わたしはまだ抗いたいと望んでいる。

『バッテリー』
あさのあつこ著
KADOKAWA／角川文庫

01

*"The Hate U Give"*
Angie Thomas
『ザ・ヘイト・ユー・ギヴ あなたがくれた憎しみ』
アンジー・トーマス 著
服部理佳 訳
岩崎書店

ギャングが徘徊し、ドラッグが蔓延する黒人街で生まれ育った女子高生スターは、ある晩、幼馴染のカリルが警官に射殺されるところを目撃してしまう。だが警察は、無抵抗のカリルを撃った白人警官の行為を正当化するため、カリルを殺されても仕方のない極悪人に仕立てあげ、不起訴に持ちこもうとする。カリルの声になることを誓ったスターは、カリルの汚名をそそぐ為、証人として法廷に立つことを決意する。２０１７年ボストングローブ・ホーンブック賞、２０１８年ウィリアム・C・モリス賞等、数々の賞を受賞した話題作。この作品が大きな支持を得た背景には、実際に、無抵抗の黒人が、白人警官に撃ち殺される事件が後をたたないという、厳しい現実がある。被害者の中にはモデルガンで遊んでいた12歳の少年もおり、作中で、12歳のころのスターや幼い弟が、両親から、警官に撃たれないための心得を教わっているのは、こうした厳しい現実を反映している。戦おう、わたしの声で――。今なお続く、黒人への偏見や差別。敢然と立ち向かう決意をしたスターの姿に、胸が熱くなる感動作。

（服部理佳）

02

"Trumbo"
Bruce Cook

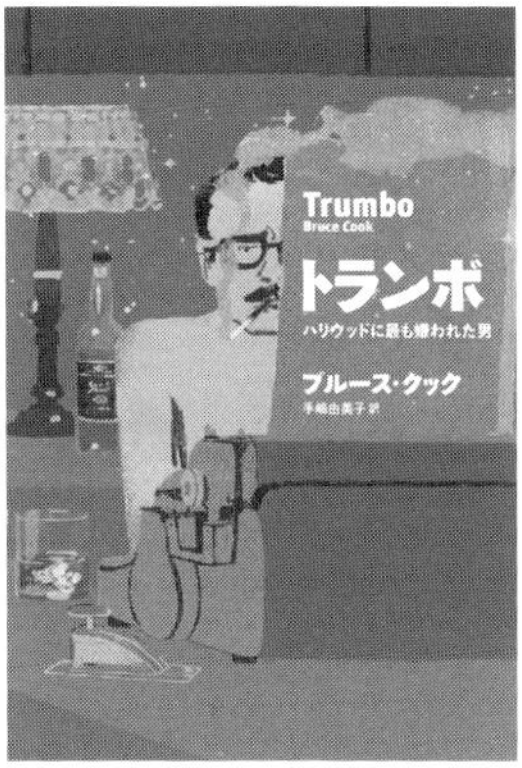


『トランボ
ハリウッドに最も嫌われた男』
ブルース・クック 著
手嶋由美子 訳
世界文化社

数々の名画を生んだ脚本家、ダルトン・トランボ。その代表作『ローマの休日』は1953年にアカデミー賞に輝くが、トランボの名が正式にクレジットされるのは、没後35年を経た2011年のことだった。

第二次世界大戦後、ハリウッドは冷戦下のアメリカに吹き荒れた赤狩りの嵐にのみこまれていく。トランボは圧力に屈することなく自らの信念を貫くが、その代償はあまりに大きかった。脚本家として活躍しはじめた矢先にブラックリスト入りし、仕事を干されてしまうのだ。しかし、ここからが不屈の男、トランボの真骨頂。いくつもの偽名を使って次々と脚本を書き、書くことで抵抗しつづける。10年に及ぶブラックリスト時代に手がけた作品の正確な数はわからないが、その執念は2本のアカデミー賞受賞作『ローマの休日』と『黒い牡牛』に結実し、やがてトランボは実名で映画界に返り咲く。この評伝には、逆境をしたたかに生き抜くトランボの姿が人間味たっぷりに描かれている。ともすれば閉塞感に押しつぶされそうになるこの時代に、勇気と希望を与えてくれる一冊だ。

（手嶋由美子）

03

『난장이가 쏘아올린 작은 공』
조세희

# 『こびとが打ち上げた小さなボール』

チョ・セヒ 著
斎藤真理子 訳
河出文庫

「生きることは戦争だった。そしてその戦争で、僕らは毎日、負け続けた」。1970年代の韓国。物語の中心にいるのは、都市開発で家を壊され追い出される家族と、工場に入り、組合を結成して戦う若者たちだ。生まれつき体が小さい「こびと」のお父さんとその息子・娘たちは人間らしく生きたいともがくが、最も戦った者は花の首がぽきりと折れるようにあっけなく死ぬ。搾取する者、される者、その中間で悩む者。それぞれの見ている世界がそれぞれの理屈と言葉で描きだされるが、それは決して今の日本の私たちとも無縁ではない。1978年の初版以来読み継がれ、総発行部数148万部。というと「45年愛されてきた」と紹介したくなるが、「愛されて」という言葉を使っていいのかどうか。著者のチョ・セヒは「未だにこの小説が読まれなくてはならないのは恥ずかしいことだ」と語っていたのだが……。透明で詩的な文体とほのかなファンタジーの味つけが、物語の飛距離をぐんと伸ばしている。連作短編という形でゲリラ的に発表することで厳しい検閲をかわした、内容・形式ともに懸命に戦った小説だ。(斎藤真理子)

04

*"The Return: Fathers, sons and the land in between"*
Hisham Matar

『帰還 父と息子を分かつ国』
ヒシャーム・マタール 著
金原瑞人／野沢佳織 訳
人文書院

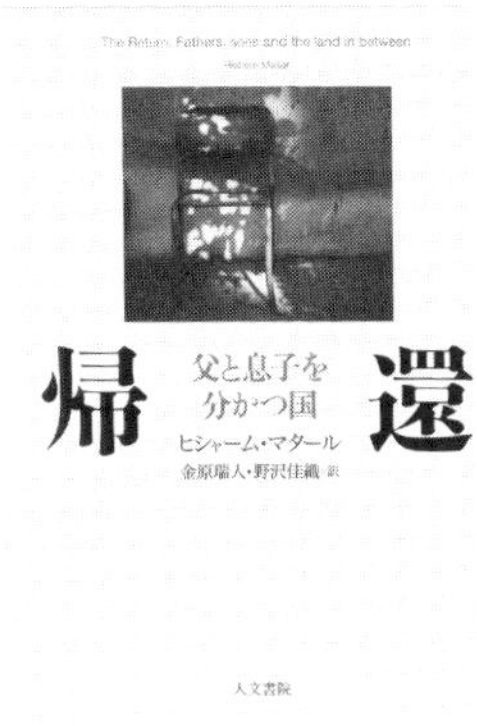


二〇一一年、秋。作者のヒシャーム・マタールはニューヨークの街角で、歩道にはめこまれた鉄格子の下に、人がやっと立っていられるほどの狭い空間を見つける。そして気がつくと、歩道に膝をついて中をのぞき、号泣していた。脱出路のない、灰色の箱のような空間が、獄中の父親を想起させたのだ。ヒシャームの父親はリビアの反体制組織のリーダーで、カダフィによる独裁政権のもと、一九九〇年に投獄され、数年後に消息が途絶えて、安否のわからない状態が続いていた。

同じく二〇一一年、秋、リビアでは、「アラブの春」に触発された内戦の末、四十年以上続いたカダフィ政権が倒された。内戦ではヒシャームの従兄弟たちも反体制派の部隊で戦った。遡れば祖父も、イタリアの植民地支配に抵抗して戦った。ヒシャームは十代でイギリスに渡り、故国には距離を置いてきたが、二〇一二年春、ついに帰還する。そこで目にしたもの、会った人々、感じたことや考えたことを、家族と故国の歴史にからめて綴った、限りなく文学に近いノンフィクション。静かに、深く心を揺さぶられる。

（野沢佳織）

05

"The Power"
Naomi Alderman
『パワー』
ナオミ・オルダーマン 著
安原和見 訳
河出書房新社
＊河出文庫でも販売されています。

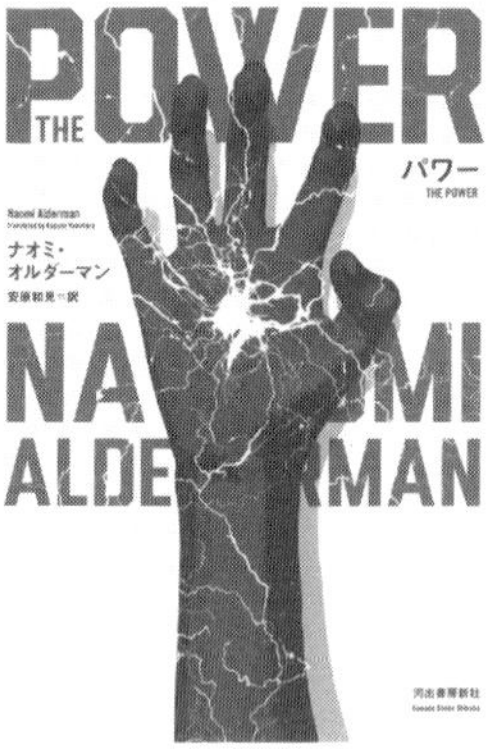


エンタメ系の小説でメッセージ性の強い作品はあまり好きではない。本書はフェミニズム小説の話題作で、オバマ元大統領が必読書のひとつにあげた――と聞いてますます訳す気を（というか読む気すら）なくした。それなのに結局読ませてもらったのは、女性だけ手から電気を発する能力が発達し、男女の力関係が逆転するという設定が面白そうと思ったからだ。

つまるところ男女の不平等の原因は「力」の差なのか。主要登場人物のひとり、女性市長から州知事、上院議員となりあがっていくマーゴットは、足を引っ張る邪魔くさい男たちを見ながら、その気になれば数分でふたりとも殺せると考える。男たちがああいうことをああいう言いかたで話すのは、要するに「自分のほうが相手より強い」からなのだ。身内に目覚めたパワーのゆえに、彼女は年じゅう夏の盛りに生きているような、身も心もほぐれているような気がし、しょっちゅうちょっとしたことで笑っている自分に気がつく。その気持ち、わかるとつい思ってしまった。なんだかくやしい。

（安原和見）

06

“*If Beale Street Could Talk*”
James Baldwin

『ビール・ストリートの恋人たち』
ジェイムズ・ボールドウィン 著
川副智子 訳
早川書房

夜の七時。家族が仕事から帰ってきて、母は夕食の支度を始める。主人公ティッシュの恋人、ファニーは強姦の冤罪で獄中の身。ティッシュはファニーの子を身ごもっている。そのことをさっき母に打ち明けたばかり。姉がレイ・チャールズのレコードに針を落とす。ハーレムの通りの音も聞こえている。父の手がティッシュの髪に優しく置かれる……。ページをめくるたびに出会うさまざまな愛のシーン。家族の愛、男女の愛、絶望の先にある深い愛。一方で、語り手たる十九歳のティッシュは「この国では黒人はだれかのニガーでなければならず、だれのニガーでもなければ、悪いニガーとされる」と言い放つ。この言葉に、ドキュメンタリー映画『私はあなたのニグロではない』を思い出す方も多いだろう。一家はこのあと、生まれてくる子とファニーのために結束し、奮闘するのだ。ジェイムズ・ボールドウィンが一九七三年に書きあげた本作は、〝この国〟の実態を白人に対して雄弁に説いた六〇年代のボールドウィンと〝愛〟を書く作家ボールドウィンとが見事に融合した小説です。（川副智子）

07

*"We Should All Be Feminists"*
Chimamanda Ngozi Adichie

『男も女もみんなフェミニストでなきゃ』
チママンダ・ンゴズィ・アディーチェ 著
くぼたのぞみ 訳
河出書房新社

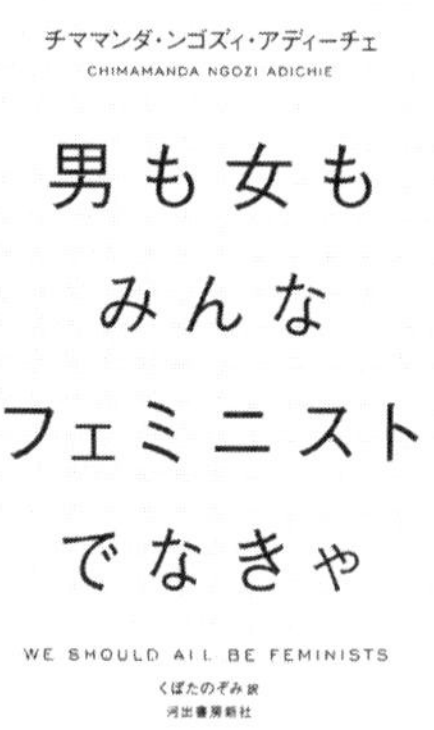


２０１２年に初めてTED Talkの動画を見たときは、おおっ、そこまでいっちゃうの？　と快い驚きがあったけれど、すぐに訳して雑誌に掲載した。動画の視聴数はうなぎのぼり。２０１６年にタイトルがディオールのＴシャツに使われて火がつき、フェミニスト作家アディーチェの名前が世界に広まった。日本でも２０１７年４月に初訳が出て版を重ねた。

　チママンダの中等学校時代のエピソードがいけているのだ。授業内容が間違っているとクレームをつけたチママンダ、謝らないと停学だという先生に、じぶんは間違ったことは言ってないから謝らない、と停学にあまんじた。心にもないことを言わない、受けを狙った「ふり」をしない、というアディーチェの抵抗精神は、自分自身に正直に生きたいという強い願望と意志から来ている。作家になってからもその姿勢は変わっていない。

　本のタイトルをなぜ「男も女も」にしたのか？　それは「私たち」とすると男性読者が「自分とは関係ない」と受け止めそうだったからだ。あれから6年が過ぎて、いまなら「私たちはみんなフェミニストでなきゃ」と訳せると思う。それほど時代は変化した。フェミニズムが社会全体に浸透して、誰もが当事者なのだと言える時代になった。（くぼたのぞみ）

08

*"Kunskapens frukt"*
Liv Strömquist

『禁断の果実
女性の身体と性のタブー』
リーヴ・ストロームクヴィスト 著
相川千尋 訳
花伝社

スウェーデン発のフェミニズムギャグコミック。女性器や女性のオーガズム、生理など、女性の身体とそのタブーにユーモアを武器に切り込んでいく作品です。たとえば、生理は恥ずかしいものと思われていますが、昔からほんとうにそうだったのでしょうか?

作者のストロームクヴィストは歴史上のさまざまな事例を紹介することで、女性の身体にまつわる現代のタブーを相対化していきます。

女性のクリトリスのほんとうのかたちなど、一般にはほとんど知られていない科学的な事実も多くの文献や図版を引用しながら解説されています。女性読者であれば、自分の身体のことなのにこんなにも知らないことが多かったのかと、きっと驚かれることでしょう。

学校教育では教えてもらえない、大切な知識のつまった1冊です。中学生や高校生のころに、こんな本に出会えていたらと心から思います。絵の勉強をしたことがないという作者のめちゃくちゃなエネルギーにあふれたイラストもみどころです。

(相川千尋)

09

*"The Lie Tree"*
Frances Hardinge

『嘘の木』
フランシス・ハーディング 著
児玉敦子 訳
東京創元社
＊創元推理文庫でも販売されています。

舞台は19世紀後半の英国。高名な博物学者が不正疑惑のスキャンダルを逃れて移住した小さな島で、不慮の死を遂げる。まわりが自殺だと決めつけるなか、学者の娘フェイスは不審を抱き、敬愛する父の汚名をそそぐために事件の真相を暴こうと立ち上がる。父が遺した、嘘を養分にして実をつけ、真実を見せてくれるという「嘘の木」の力を使って――。ときはヴィクトリア朝時代、社会における女性の役割は限定されていて、聡明なフェイスも、学問へのあこがれを口にするどころか、賢さを見せるのもはばかられ、ほんとうの自分を隠すようにして暮らしている。そんなフェイスが真実のために、己れの知恵と嘘の木を武器にして、時代に、世間に、常識に抗って奮闘していく。

作者フランシス・ハーディングは、英国で数々の話題作を発表しているYA作家で、本作は、コスタ賞の児童書部門だけでなく大賞も受賞した。ファンタジー、ミステリー、歴史フィクション、少女の成長物語として、さまざまに味わえる一冊。子どもから大人まで幅広い世代におすすめしたい。

（児玉敦子）

10

*"The Reborn and Other Stories"*
Ken Liu

## 『生まれ変わり』

ケン・リュウ 著
古沢嘉通 他 訳
早川書房
＊二分冊で文庫化。『生まれ変わり』『神々は繋がれていない』（ともにハヤカワ文庫SF）

2015年に日本オリジナル編集の第一作品集『紙の動物園』が刊行されて以来、すっかり日本の翻訳小説シーンに根付いたように思えるケン・リュウ。同書の表題作「紙の動物園」（2011年）は、英語圏のSFとファンタジイ関係の三大賞といえるヒューゴー賞、ネビュラ賞、世界幻想文学大賞の各短篇部門を制する史上初の三冠に輝き、作者の代表作となり、日本でも、枕詞のように「電車で読んではいけない」（泣いてしまうから）と言われるほどインパクトのある作品として受け入れられた。その反面、その衝撃が大きすぎて、ケン・リュウと言えば、エモい作家と思われ、泣かせに反発や抵抗感を覚え、敬遠する向きも少なからず生じているのも事実。今回の第三作品集『生まれ変わり』では、作者が極めて理知的な作家であることを証明するため、意図して「泣かせ」要素を排除して作品選択をした。異星人との性生活から、介護にからむ南北問題、共感を元にした暗号通貨、電脳化した人類の行く末など、多種多様な二十編をご堪能あれ。

（古沢嘉通）

11

*"Mortal Engines"*
Philip Reeve

# 『移動都市』

フィリップ・リーヴ 著
安野 玲 訳
創元SF文庫

たった60分間の最終戦争で現代文明が滅びてから1000年あまり。天変地異を生き延びるために人類の半分は堅固な要塞を築いて定住し、残りの半分は都市をまるごと動かすことにした。かくて大小さまざまな移動都市がスチームエンジンとキャタピラで大地を疾走し、食料や物資や奴隷を求めて定住者の静止都市や弱小移動都市を喰らう、弱肉強食の時代が始まった。そんな厳しい世界に生まれて歴史学者をめざす少年トムと、復讐に燃える少女ヘスター。生まれも育ちも志も違う二人が、静止都市の凄腕女スパイの手を借りて、巨大移動都市ロンドンの天をも恐れぬ野望を打ち砕くべく、飛行船を駆って西へ東へと飛びまわる。魅力的なキャラクターが繰り広げるダイナミックなジェットコースター・ストーリーは、まさに痛快の一言。かつてイラストレーターだった著者リーヴが紡ぐ映像的な文章の力で、長篇アニメ映画でも見ている気分にさせられる（アニメではないが、ピーター・ジャクソン製作・脚本、クリスチャン・リヴァース監督で2018年に映画化された）。

物語はいったん完結するが、この『移動都市』は、実は『掠奪都市の黄金』『氷上都市の秘宝』『廃墟都市の復活（上・下）』（いずれも東京創元社刊）と続く〈移動都市クロニクル〉4部作の開幕篇だ。未来SF冒険活劇としてスタートする物語は、巻を重ねるごとに人間の生きる意味や命の重さ、歴史や文化の本質について考えさせる奥行きを見せはじめ、最終的に壮大な歴史絵巻となって幕を閉じる。完結篇の『廃墟都市の復活』でガーディアン賞を受賞したこの4部作、ぜひ全巻を一気読みしてほしい。文章が生み出す興奮を、快楽を、無限の可能性を、きっと堪能できるはずだ。

（安野 玲）

12

"The Underground Railroad"
Colson Whitehead

『地下鉄道』
コルソン・ホワイトヘッド 著
谷崎由依 訳
早川書房
＊ハヤカワ epi 文庫でも販売されています。

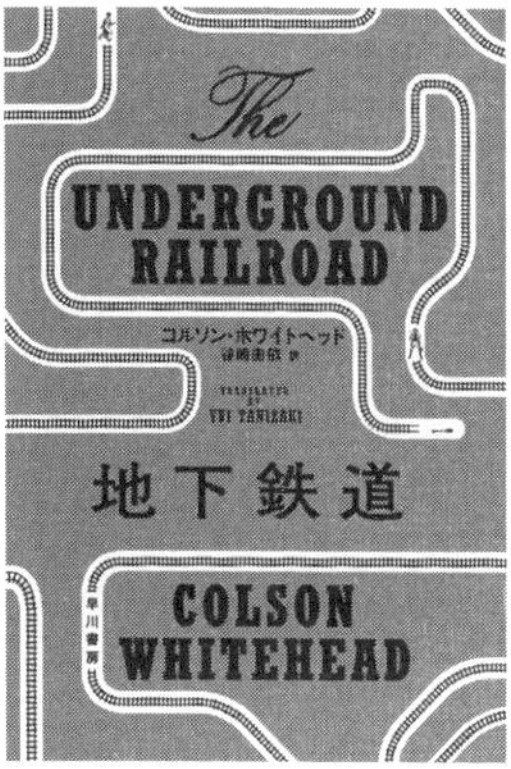


南北戦争で北軍が勝利して奴隷制度が廃止される以前、1830年ごろのアメリカ南部が舞台。奴隷少女のコーラは、おなじ農園で奴隷として働く少年シーザーから、一緒に逃げないかと持ちかけられる。逃亡は重い罪で、捕まれば極刑も免れない。北へ、自由州へと向かうふたりを乗せていくのは〝地下鉄道〟だ。歴史的事実からすれば、それは逃亡奴隷を匿う地下組織を指す隠語だが、著者は実際に地下を走る列車として描いた。綿密な取材にもとづく細部へ加わるSF的想像力。サウス・カロライナ、ノース・カロライナ、テネシー、インディアナ……主人公コーラの通っていくそれらの州は、もはやリアリズムでは書かれていない。『ガリバー旅行記』に着想を得たと語られている通り、どれもいわゆるディストピアだ。けれど優生思想も〝奇妙な果実〟も、すべてアメリカ黒人の歴史が通過してきたものである。事実ではないかもしれない、けれど真実なのだ。彼らのあらゆる闘いの痕跡が刻まれたこのテクストは、その残酷さゆえに攻撃的だ。読む者は、目をひらき続けることになる。閉じたくともそれはできない。なぜなら抜群に面白いからだ。奴隷狩り人リッジウェイをはじめとする白人の内面もしっかりと描かれており、差別や虐殺が起きるメカニズムをわたしたちは知ることになる。そして知らしめること、想像させることこそ、抵抗のもっとも有効な在り方なのかもしれない。（谷崎由依）

13

*"Weight of Just Black"*
Neal Hall

『ただの黒人であることの重み ニール・ホール詩集』
ニール・ホール 著
大森一輝 訳
彩流社

音楽に政治を持ち込むな、と言う人がいます。そして、文学（特に韻文）で社会問題を訴えるな、と言う人も。怒りを創作の原動力にするのは美しくない、憤りをあらわにするものは芸術ではない、何かを強く主張するのはかっこ悪い、という理由で。そんな人にこそ読んでもらいたい一冊です。

　トマス・ジェファソンは、「黒人には苦悩はあり余っているが、なぜか詩は生まれない」と書きました。しかし、彼には聞こえなかったのかもしれませんが、アフリカ系の人々はずっと、語り歌ってきた。悲しみを。希望を。黒人霊歌として。ブルースとして。ジャズのリズムに乗せて。ここにあるのは、口当たりのいい言葉ではありません。飲み込むのは苦しいかもしれない。棘が刺さって痛いかもしれない。後味も悪いでしょう。でも、そこには、人間性を守ろうとする、深く静かな思いがある。耳を傾けるべき何かがある。それは私たちにも迫ってくる。お前は何者だ、何のために・どのように生きているのか、と。向き合うのか背を向けるのか、決めるのはあなたです。（大森一輝）

14

*"Culottées 1: Des femmes qui ne font que ce qu'elles veulent"*
Pénélope Bagieu

『キュロテ
世界の偉大な15人の女性たち』
ペネロープ・バジュー 著
関澄かおる 訳
DU BOOKS

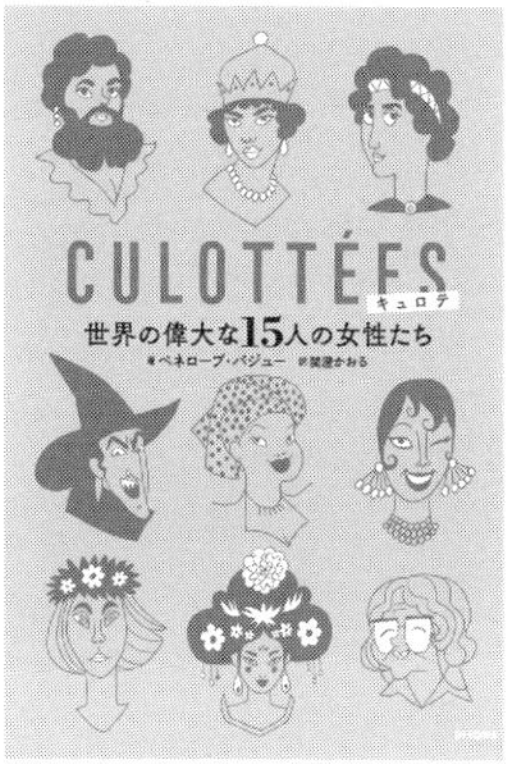


子どもの頃、授業では興味のなかった私が歴史を好きになるきっかけが、永井路子著『歴史をさわがせた女たち』。遠い昔に確かにあった息遣いをそばに感じてゾクゾクしたものだ――そして今、『キュロテ』！ 古今東西、自身の運命を戦い抜いた15人の女性（元・男性含む）を、フランスのオピニオン・リーダー的存在であるペネロープ・バジューが独自のチョイスで軽妙に描いたバンド・デシネ（フランス漫画のこと）。ジョセフィン・ベイカーやトーベ・ヤンソン、武則天のような有名人だけでなく、史上初（？）の女性産婦人科医、勇猛果敢な女戦士、ヒゲを魅力に変えたバーの女主人、女性の身も心も開放した水着開発者、途方もない年月をかけて灯台を守った老婦人などなど、初めて知る人々の「生きた証」が描かれている。各話ラストの美麗な見開きイラストは、主人公の戦いの歴史のなかで良くも悪くも（！）最も命が輝いた瞬間。その光景を目にしたとき、私たちは彼女と共にあり、生きる勇気を得ていることに気づくはず。さてあなたは、どんなメッセージを受け取ってくれるだろうか？

（関澄かおる）

15

“Every Day”
David Levithan
『エヴリデイ』
デイヴィッド・レヴィサン 著
三辺律子 訳
小峰書店

主人公Aには、体がない。毎朝、別の人物の体で目を覚まし、一日を過ごした後、また次の体へと移っていく。宿主たちの共通点は、16歳ということだけ。あとは、性別も、肌の色も、顔の造作も、体型も、性的指向も、性自認も、すべてちがう。宿主の人生を乱さないことを心掛けてきたAだが、ある日、一人の女の子リアノンに恋をしてしまう……。

体はちがっても、中身は同じA——のはずだけれど、リアノンはなかなか慣れることができない。ヘテロセクシュルのリアノンは、Aが女の子の時はどうしても気後れしてしまうし、ものすごく太っている時は、中身のAを見るのに苦労する。では、A自身は宿主の体にまったく影響を受けないのかというと、それもちがう。

その人をその人たらしめているのは何？ 肉体？ 精神？（家庭や学校の）環境？ 人との関係性？ 周囲の見る目？ 毎回、原稿を見直すたびにちがうテーマが浮かんでくる、そんな作品だった。性別とか、肌の色とか、性的指向とか、そんなことだけで簡単に人を分類しようとする、あの人とか、あの人とか、あの人に、読ませたい！ （三辺律子）

# 15

## Be short!　短編特集

中学生の頃から短編が好きだった。ブラッドベリ、アシモフ、アイリッシュ、ダール、デュ・モーリアといった読みやすくて面白いSF、ミステリ作家から始まって、マンディアルグ、カルヴィーノ、ブッツァーティ、残雪、金仁淑など、ちょっと癖のある作家のものまで、とにかく短編が好きだ。１９８７年から朝日新聞で連載していた「ヤングアダルト招待席」という若者むけの本の書評コーナーで60冊以上の本を紹介した。そのなかで特に印象に残っている本のうちの1冊がタニス・リーの幻想短編集『タマスターラー』だ。

そういえば妹も短編が大好きで、よくあれがいい、これがいいなどと言い合った(たいがい、意見は一致するのだが、クリスティに関しては相容れなかった)。その妹が愛してやまなかった短編、マルケスの「美しい水死人」も忘れられない。流れてきた巨人の死体を村人たちがきれいにして、服を仕立てて着せて、勝手に名前をつけて、また海に流してやる……という不思議な話なのだが、読み終えて、全身の力がふっと抜けるような快さがある。何度読んだだろう。今回、ふと気になってネットで調べてみたら、チェ・ゲバラへのオマージュ的な作品だという解説があった。ほう、これは面白いな、妹に教えてやりたいと思ったけど、考えてみたら、18年前に死んでいた。

(金原瑞人)

# 遠い他国の和平を願う

宮内悠介

二〇一七年の十一月、『遠い他国でひょんと死ぬるや』という長編の取材のため三週間フィリピンを訪ねた。目的は、ルソン島で戦死したとされる詩人、竹内浩三の足跡をたどること。戦後七十年余りを経て、記憶の語り部も減ってきている。ならば、自分の目と足で、いくばくかでも過去の記憶をたぐりよせられないかと思ったのだった。まして、SNSでは膨大な「現在」が押し寄せ、個々人は分断されている。そんななか、「歴史」を取り戻すことはできないか？　それが今回、自分に課したテーマだった。

ところが、当時のフィリピン情勢はというと、おりしもISが南部の街を占拠し、政府軍がそれを奪還したばかり。過去ばかりを追って、いまそこで起きたばかりの戦争に目を向けないというのも、何か不誠実な感じがする。そこでぼくは南部のミンダナオ島に飛び、ISが占拠して住民を人間の盾にしていたというマラウィ・イスラム市を目指すことにした。

誘拐のリスクを減らすため、まずは近くの街に宿を取り、周囲の誰にも目的地を告げず、流しの車を拾ってマラウィに入った。行く道、帰る家を失った避難民のキャンプが目についた。イスラム建築風の大きな門をくぐり、街の中心を目指す。商店のシャッターはことごとく閉まっており、一つひとつに、英語でＣＬＥＡＲとスプレー書きされている。政府軍が確認し、ＩＳがいなかったという印だ。学校やバス停の落書きを見た。落書きは、どの国とも同じようなものだ。

何がきっかけであったのか、突然、運転手が怯え出して「もう戻ろう」と言い出した。市内をもっと広く回る約束であったが、運転手の勘を信じて戻ることにした。

今年の二月、住民投票を経てミンダナオ島にバンサモロ暫定自治政府が発足した。一部の人々にとって長年の目標であった、イスラムによる自治政府だ。いまは、和平プロセスが進行中と聞く。マラウィの復興と自治政府の和平を願う。

『遠い他国でひょんと死ぬるや』
宮内悠介 著
祥伝社
＊祥伝社文庫でも販売されています。

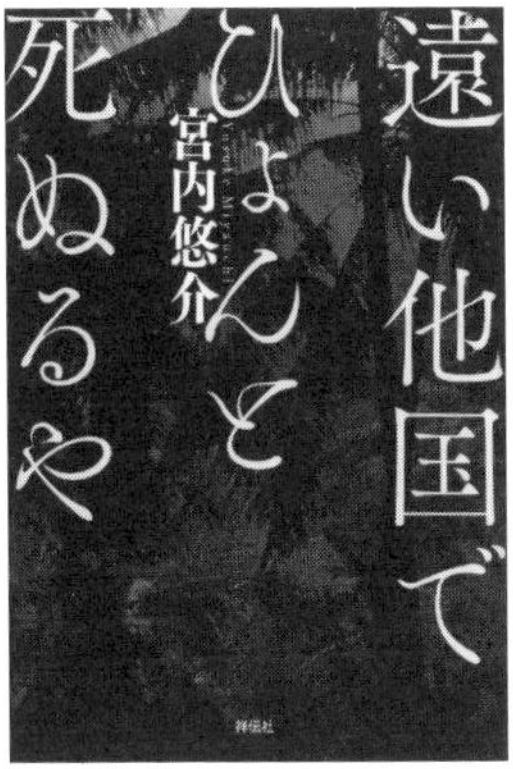

01

吹竹節的鬼
李昂

『海峡を渡る幽霊 李昂短篇集』
李昂 著
藤井省三 訳
白水社

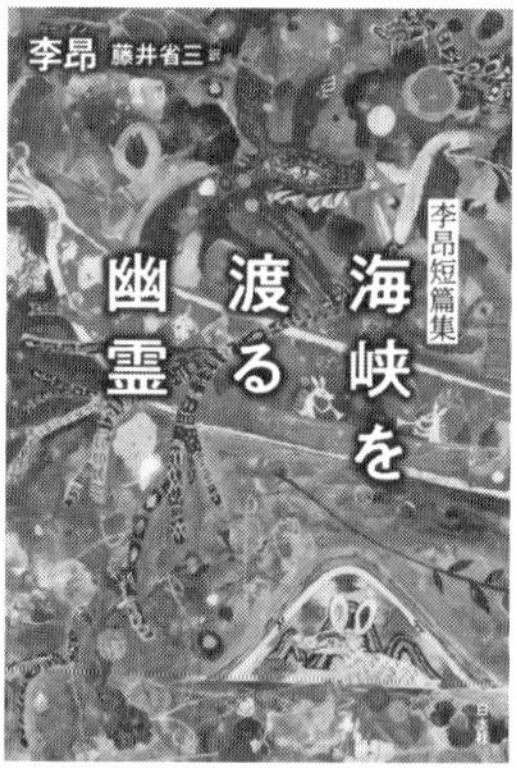


台湾フェミニズム作家の李昂（リー・アン、1952-）さんに初めてお会いしたのは1992年4月のこと、それはこの島の民衆の粘り強い闘いにより実現した民主化と高度経済成長、そして独自の文学映画に、世界が注目し始めていた時期でした。彼女の故郷の古い港町についてお訊ねしたところ、「鹿港《ルーカン》では昔、どの通りでもお化けが出たもの……」とお話しになった言葉が忘れられません。本書には、初期の抒情性に溢れた作品と実験的心理小説、中期を代表する二・二八事件（二万人以上の台湾人虐殺）をめぐる政治とセックスの物語、そして最近作からは台湾の歴史を描く幽霊物語および政治的グルメ小説を収めています。

全篇を貫くものが中国語で〝鬼《クェイ》〟と呼ばれるお化けです。〝鬼〟たちは近代化により淘汰された伝統、政治やジェンダーの独裁により殺害された生命、経済成長により喪失された寛容などの貴さを忘れてはならない、と私たちに呼びかけているかのようです。

（藤井省三）

02

“*Sightseeing*”
Rattawut Lapcharoensap

『観光』
ラッタウット・ラープチャルーンサップ 著
古屋美登里 訳
ハヤカワepi文庫

本書には、タイで生まれアメリカに留学した若い作家（当時25歳）が英語で書いた7つの短篇が収められています。「ガイジン」はイギリスの文芸誌「GRANTA」に掲載されるやたちまち絶賛され、鮮烈なデビューを飾りました。アメリカ人の父とタイ人の母のあいだに生まれた「ぼく」は、クリント・イーストウッドと名付けた小さな豚を大切にしています。アメリカに帰ったきり消息もつかめない父親からのプレゼントだからです。その日常と寂しさが丁寧に描かれていきます。他の6作品も、どこにでもあるようでいてとても珍しい風景を見せてくれます。飾らない文章で書かれているのに、そこに流れる空気や匂いや音が、そして人々の瑞々しい感情が、不思議なくらい現実感を伴って伝わってきます。得がたい才能の作家です。

日本で刊行されてから12年が経ちましたが、いまでも多くの方に手に取っていただいていて、訳者としてはなんとも嬉しいことです。刊行後、幸いなことに、作家や編集者の方々から称賛されました。なかでも故・河野多恵子さんが「この本のどの作品もすぐに芥川賞を獲れますよ」とおっしゃった、と担当の編集の方から教えていただいたことは、とてもいい思い出です。

（古屋美登里）

03

*"The Thing Around Your Neck"*
Chimamanda Ngozi Adichie

『なにかが首のまわりに』
チママンダ・ンゴズィ・アディーチェ 著
くぼたのぞみ 訳
河出文庫

抽選でヴィザに当たって、ラゴスからやってきた女の子が経験する「ギブ・アンド・テイク」のアメリカ。いろいろ教えてくれたおじさんからセクハラを受けて家を出た彼女は、長距離バスでたどり着いた街のレストランで働きはじめる。故郷には送金しても手紙は書かない。書けないのだ。夜になるといつも首のまわりになにかが巻きついてくる。でも、エキストラ・ヴァージン・オイル色の目をした白人の男の子と仲良くなって、それが消えはじめた。初めてラゴスに手紙を書くと、父親が死んだという知らせがとどく。そのとき自分はなにをしていたのかと身をまるめて泣く主人公。

ラゴスに帰る空港まで送ってきた男の子を、しっかりハグして別れを告げる彼女は……。

理解しようとしながら、相手との間に横たわるギャップによってすれちがう恋人たち。大きく異なる世界で生まれ育ったから？ 白人と黒人のカップルだから？ そんな切なさがナイジェリア生まれの女の子の目から切なく細やかに描き出される。これまで見えなかった視界がクリアに開けてくる12の短編が入っている。

（くぼたのぞみ）

04

*"Interpreter of Maladies"*
Jhumpa Lahiri

## 『停電の夜に』
ジュンパ・ラヒリ 著
小川高義 訳

新潮社刊 ＊新潮文庫でも販売されています。

翻訳からもう20年を超えたのだが、いまなお初版の体裁でも文庫本としても読まれているという、訳者にはありがたい一冊である。ラヒリのデビュー作であり、この時点での完成形でもあった。旧世界から新天地へ移動して、ときに往復することもあって、わからないことをわかるようにしなければ生きていけない移民としては、わかろうとする開拓（＝翻訳）は死活問題になる。移民文学は一種の「翻訳」文学でもある。この短篇集にあっては、インドとアメリカの風味が、ほぼ半々のブレンドになっていて、「何らかの意味でアメリカとインドの狭間に身を置いた人々の、いつもの暮らしの中に生じた悲劇や喜劇を、じっくり味わわせてくれる」（「訳者あとがき」より）。だが素材はあくまで素材である。いかに料理してみせるかというシェフの腕前が大事なのだ。ラヒリには裏切られたことがない。彼女が本作から出発した英語作家としての開拓は、その規模を拡大しつつ、長篇『低地』に達して一段落した。いまはイタリア語で新たな創作をしている。ラヒリは別の言語を開拓地として生きる人だ。

（小川高義）

05

『몬순』
편혜영

『モンスーン』
ピョン・ヘヨン 著
姜 信子 訳
白水社

不穏です。9つの短編の中に、9つの日常から洩れでる、9つのひそかな叫びがこだましているんです。作家曰く、それはムンクの幻想的な叫びではなく、フランシス・ベーコンの描く孤独な叫び。実際、「顔のゆがんだ男が椅子に座って絶叫する絵」が、どうしようもなく人生の不条理を知ってゆく少年たちの物語の中に飾られているんです。ピョン・ヘヨンという作家は実に耳がいい。目も利く、鼻も利きます。日々同じことの反復でしかないような日常、だからこその不条理に生き惑う者たち、そのひそかな叫びに耳をそばだて、ひとりひとりの肌触り、湿ったにおい、喜怒哀楽が絡まりあう心の襞にまで想像力をぶすりと喰い込ませてくる。この想像力に既に私の生もあなたの生も捕えられているかのようで、9編の物語はそれぞれに私たち自身のことのようで、そうなると本を閉じたからといって日常も不条理も閉じられるわけもなく、読み終えた途端に私たちは行方の知れぬ闇に放り出される。これはじわじわ恐ろしいです。きっとあなたはひそかに叫びます。実に不穏な私たちの物語。

（姜 信子）

06

"From These Ashes: The Complete Short SF of Fredric Brown"
Fredric Brown

『フレドリック・ブラウンSF短編全集1 星ねずみ』
フレドリック・ブラウン 著
安原和見 訳
東京創元社

フレドリック・ブラウンは子供のころに夢中で読んだし、筋を憶えている作品も多い。しかしそのわりに、初めて読んだのがどの作品だったのかいくら考えても思い出せない――ある年代以上のSFファンには、そういう人が多いのではないだろうか。ブラウン作品はいつのまにか自然にそこにあって、気がついたときにはSF読みの常識、というよりほとんど血肉になってしまっていたように思う。

そのブラウンのSF短編全集を訳させてもらうことになり、ン十年ぶりに読み返してみて面白さに正直びっくりした。胸をどきどきさせて読んだ子供のころを思い出し、その懐かしさが面白さに「ゲタを履かせている」可能性もなくはない。しかし、語り口の巧みさ、さりげなく張られた伏線の周到さ、そしてなによりあっと驚くオチの鮮やかさと、ブラウン作品には古くなりようのない要素がぎっしり詰まっている。往年のSFファンのみならず、若い読者にも「ブラウンとかいう面白い作家がいる」と知ってもらえたらこんなにうれしいことはない。翻訳者冥利に尽きるとはまさにこのことである。

（安原和見）

07

“Khaneh'i dar Aseman”
Goli Taraghi and others

## 『天空の家 イラン女性作家選』

ゴリー・タラッキー ほか 著
藤元優子 編訳
段々社

『天空の家』は、１９８０年代以降に書かれたイラン女性作家７人による短編のアンソロジーである。日本でイランというと、イスラーム教の原理主義国で怖い、という負のイメージが染みついているが、２５００年以上の歴史と豊かな文化を持つこの多民族多言語多宗教国家の実像を女性の姿を通して伝えたい——そんな気持ちで、様々な出自と作風の作家たちの作品を選んだ。

１９７９年のイスラーム革命後、政治的・経済的に世界から孤立しがちなイランでは、思想信条の自由や経済的安定を求めて国外に出る人も多い。老婦人が祖国から切り離されて彷徨う「天空の家」にはそんな背景があるし、イラン社会の不条理を象徴的に描いた「アトラス」は、本国では検閲に阻まれ、この邦訳が世界初の紹介となった。ただ、そんな事情は別にしても、「染み」や「見渡す限り」の当意即妙のやり取りにニヤリとしたり、「アニース」の村娘のしぶとい生き様に呆れたりしながら、今を生きるイラン女性のエネルギーと知性の煌めきが実感できること請け合いの一冊である。

（藤元優子）

08

"A Thousand Years of Good Prayers"
Yiyun Li
『千年の祈り』
イーユン・リー 著
篠森ゆりこ 訳
新潮社刊

中国出身の著者が英語で書いた短編集。本書に描かれる世界は何百年という時を超え、二大陸を舞台にするスケールの大きさを持つ。たとえば「不滅」という短編は、ある地域の共同体そのものを語り手とし、宦官がいた時代から現代までをほんの三十ページ弱で駆け抜ける。

それでいてどの短編も、登場人物の孤独や愛や葛藤といった繊細な心のありようを丁寧にすくいとっている。幼い少年への愛情を宝物のように胸にしまう年輩の女性。障がいのある娘を隠しながら介護する夫婦。秘密を語らず娘の反発を受ける一方、言葉が通じない外国人と心を通わせる父親。市井の人々の暮らしを見つめる著者のまなざしはあたたかい。あちこちにちりばめられた中国の格言やことわざも、味わい深い。

著者は北京生まれで、大学卒業後にアメリカに留学し、免疫学の博士課程の途中で方向転換して英語で小説を書くようになった。デビュー作である本書で数々の文学賞に輝き、さらに次の短編集『黄金の少年、エメラルドの少女』で「中国のチェーホフ」と呼ばれるようになった。

（篠森ゆりこ）

09

"*A Manual for Cleaning Women:Selected Stories*"
Lucia Berlin

『掃除婦のための手引き書
ルシア・ベルリン作品集』
ルシア・ベルリン 著
岸本佐知子 訳
講談社　＊講談社文庫でも販売されています。

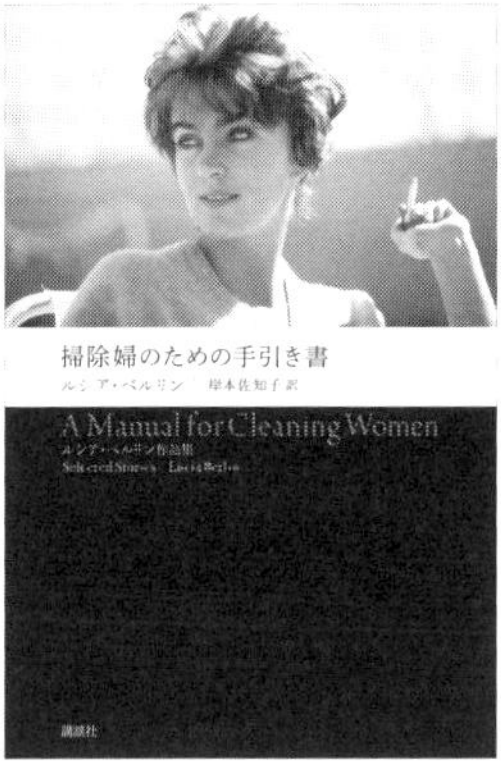


ルシア・ベルリンは六十八年の生涯に七十六の短編を書いた。書きはじめたのは二十代のなかばで、四人の息子を抱えたシングルマザーで、掃除婦などの仕事をしながらアルコール依存症にも苦しんでいた。もしかしたら、長いものを腰を落ちつけて書く時間はなかったのかもしれない。深夜や早朝、仕事や家事育児の合間をぬって、キッチンのテーブルに座って書いていたのかもしれない、想像だけれど。

彼女の作品を最初に読んだのは十五年くらい前だった。読んだ瞬間に魅了され、いらいずっと魅了されつづけている。彼女の良さは、たとえばパキッと放り出すような文章だ。ある作家の方は「手離れのいい」文章と呼んだ。べつの作家は「速い」と表現した。彼女の書くものは「汚くて美しい」と言う人もいた。私は、みんなのそういう言葉を集めている。書き手たちの中をくぐって語られる言葉、それもまたルシア・ベルリンだと感じる。彼女の小説には、物書きの奥深い部分を揺さぶらずにおかない、不思議な魔力があるようだ。

（岸本佐知子）

沈香屑 第一爐香
五四遺事 羅文濤三美團圓
同學少年都不賤
張愛玲

『中国が愛を知ったころ 張愛玲短篇選』
張 愛玲 著
濱田麻矢 訳
岩波書店

「薇龍はその日、青緑色の薄いシルクの旗袍を着ていたのですが、彼の緑色の目に見つめられると、自分の腕が沸き立った牛乳のように、青いポットから流れてしまうのを感じました。止めようにも止められず、自分がすべてこぼれてしまうかのようです」

舞台は太平洋戦争勃発前夜の香港。上海の平凡な少女薇龍は、富豪の妾だった伯母の家に身を寄せることになった。金と欲が渦巻く社交界でなんとか正気を保ち続けようとする彼女は、道楽者のジョージ喬と出会った瞬間、どうしようもない恋に堕ちる。古典小説を模した古めかしい語り口と精緻な比喩が、一途な愛を軸にして生活を立て直そうともがく薇龍の悲劇を冷徹に描き出してゆく。

没後20年を過ぎてなお中国語世界で深く愛されている作家、張愛玲の鮮烈なデビュー作「沈香屑 第一炉香」のほか、近代中国にもたらされた「愛」という難事に、傷つきながらも真正面から向かい合う女たちを描く短篇二篇を収録。いずれも初の邦訳である。

（濱田麻矢）

11

Franz Kafka

## 『絶望名人カフカの人生論』

フランツ・カフカ 著
頭木弘樹 編訳
新潮文庫刊

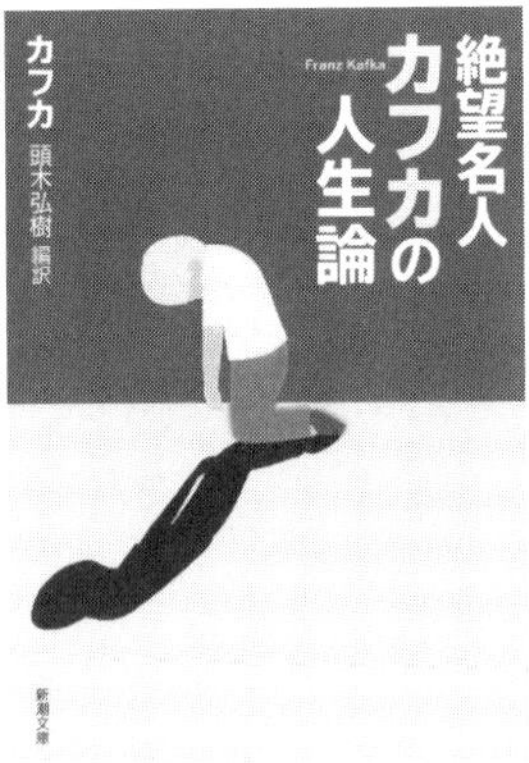


中学生のとき、夏休みの読書感想文のために、いちばん薄い文庫本を選んだら、カフカの『変身』だった。その『変身』を思い出したのは、二十歳で突然、難病になったとき。ある朝、ベッドの中で虫になって、部屋から出られなくなって、家族に面倒を見てもらうしかなくなった主人公。久しぶりに読み返したそれは、難解な小説どころか、自分にとってはまさにドキュメンタリーのようだった。

カフカの日記や手紙まで読むようになった。こういう言葉があった。「将来にむかって歩くことは、ぼくにはできません。将来にむかってつまずくこと、これはできます。いちばんうまくできるのは、倒れたままでいることです」病院のベッドで倒れたまま読んだ。笑って泣いた。

13年の闘病生活の間、自分自身のために、カフカの言葉を訳していった。手術して社会復帰できたとき、本にしようと思った。昔の自分のような人の手に届けたかった。カフカの「ぼくの本が、あなたの親愛なる手にあることは、ぼくにとってとても幸福なことです」という言葉と共に。

（頭木弘樹）

12

“*Le Paradis des chats*”
Émile Zola

『ゾラ ショートセレクション
猫の楽園』
エミール・ゾラ 著
ヨシタケシンスケ 絵
平岡 敦 訳
理論社

ゾラは長編を得意とした作家だけに、短編作品からはちょっと肩の力を抜いて、いかにも楽しんで書いている感じが伝わってくる。とはいえそこは大作家のこと、ショートショートほどの掌編にも案外深いテーマがこめられているから侮れない。

例えば表題作の「猫の楽園」は、気ままな野良猫の暮らしにあこがれて家を飛び出したデブの飼い猫が現実の厳しさを思い知らされる顛末をユーモラスに語るなかで、物質的な安楽か精神の自由かという問題をさりげなく提起しているし、怪しげな広告の謳い文句にのせられて次々に粗悪品を買いこんでいく男の悲劇「広告の犠牲者」には、通販全盛の現代社会にも通じる痛烈な風刺が効いている。

ほかにも《早すぎた埋葬》ものの「オリヴィエ・ベカイユの死」や田舎の荒れ屋敷にまつわる因縁話「アンジュリーヌ」のような怪奇風の話、戦いに明け暮れる人間たちの罪深さを聖書の場面に託して描いた幻想的な短編「血」などなど、《自然主義作家》ゾラの多様な側面を知っていただける一冊です。

（平岡 敦）

13

"*When the World Was Young*"
Jack London

『ジャック・ロンドン
ショートセレクション
**世界が若かったころ**』
ジャック・ロンドン 著
ヨシタケシンスケ 絵
千葉茂樹 訳
理論社

振り返れば、これまでに訳してきた短編集は、どれもこれも畏れ多いような作家たちのものでした。O・ヘンリー（全8巻！）を皮切りに、サキ、ポー、ドイルのホームズ。本書のジャック・ロンドンも含め、いずれもあらかじめ収録作が決まっているわけではなく、膨大な作品群を読みあさり、そのなかから選ぶという編者の役割も担っています。選ぶ際には、先行する短編集とはなるべく重ならないようにしたいけど、代表作を落とすわけにいかない。さらにはその作家のいろいろな面を知ってもらいたい。できればサプライズも、などなど、全体の文章量に制限があるなか、悩みはつきません。

本書でも、『野性の呼び声』や『白い牙』のイメージだけではないロンドンを、という思いで編んだつもりです。例えば表題作はSF!? ただ、波乱万丈の人生にふさわしく、おそろしいほどの多面性を持つロンドンですので、紹介できたのはごく一部にすぎないのはちょっと心残り。本書でロンドンの面白さにふれ、ロンドン作品の深い森に足を踏み入れるきっかけにしていただければ幸いです。

（千葉茂樹）

"Second-Best"
D. H. Lawrence
『ロレンス ショートセレクション
二番がいちばん』
D・H・ロレンス 著
ヨシタケシンスケ 絵
代田亜香子 訳
理論社

えっ、えっ、なんでいきなりそういう展開になるの？と頭のなかがクエスチョンマークでいっぱいになり、だれにも感情移入できないかもと思って読んでいるうちに、気づいたら共感ポイントがわんさか、という不思議な作品です。

一世紀以上も前に書かれているのに、決して色あせないユーモアとバカらしさと切なさとやさしさがいっぱいです。魅力的な女の人と、知的な男の子と、年をとるにつれて知的ではなくなってしまった大人の男性がバラエティ豊かにたくさんでてくるので、きっとお気に入りの登場人物が見つかるはずです。

訳者が好きなのは、「男なんて大きな犬くらいにしか思っていない」妹です。

ある一線を越えると、人間って何するかわからないものですね。

（代田亜香子）

15

“The Displaced: Refugee Writers on Refugee Lives”
Viet Thanh Nguyen

『ザ・ディスプレイスト
難民作家18人の自分と家族の物語』
ヴィエト・タン・ウェン 編
山田 文 訳
ポプラ社

むかしアルバイトをしていたレストランに、スーダン出身の同僚がいました。年齢は30代後半ぐらい。いつもポケットからヒマワリの種を出してかじり、砂糖を何杯も入れたお茶を飲んで、こんもり丸いお腹をぽんぽん叩いていました。彼の名前が「やさしい人」という意味であることは、ずっとあとになるまで知りませんでしたが、まさにその名のとおりの人でした。彼は難民でした。わたしが難民と聞いて思い浮かべるのは、ボートに乗った大勢の人ではなく、砂埃が舞う難民キャンプの子どもたちでもなくて、彼の笑顔です。

この本には難民作家18人の声が収められています。世界のさまざまな地域から逃れ、「よそ者」としての経験を語る作家たちの声です。豊かな声で語られる経験が、わたしたちの固定観念に揺さぶりをかけます。これまでぼんやりとしか見えていなかった「よそ者」が、顔と体温のある一人ひとりの人間として浮かびあがってきます。

その先には、いまとは異なる世界のあり方が見えてくるはずです。作家たちの声が遠くまで届き、世界がいまよりもやさしい場所になりますように。

（山田 文）

*"Fragile Things: Short Fictions and Wonders"*
Neil Gaiman

## 『壊れやすいもの』

ニール・ゲイマン 著
金原瑞人／野沢佳織 訳
KADOKAWA／角川文庫

コミックの原作者としてブレイクし、『ネバーウェア』『アメリカン・ゴッズ』などの長編小説で名をはせ、映画やドラマの脚本・制作も手がけるゲイマンが、八年かけて編んだ短編集。まず、一編目の「翠色の習作」がすごい。シャーロック・ホームズの世界とH・P・ラヴクラフトの世界が見事に融合。ドイルの『緋色の研究』と合わせて読めば、面白さが倍増する。「スーザンの問題」は、作者の『ナルニア国物語』への愛に裏打ちされた、不気味で残酷で切ない物語。映画化された「パーティで女の子に話しかけるには」や「メモリー・レーンの燧石」「閉店時間」は、作者の素顔が垣間見える作品で興味深い。さらに、日常的な場面から不思議な世界に迷いこむ「ミス・フィンチ失踪事件の真相」「サンバード」、冷徹無情な語り口になぜかひかれる「形見と宝」、哀愁漂うSF小説「ゴリアテ」等々、魅力的な作品がならぶ。随所にちりばめられた詩——「髪《ロック》と鍵《ロック》」「円盤がきた日」など——も味わい深い。

巻末の、作者による作品ごとの解説と、山尾悠子さんによる解説も必読です。

（野沢佳織）

# 16

## stranger than fiction?
## ノンフィクション特集

「想定外」「絆」「忖度」……意味自体に恨みはないのに、嫌いになってしまった言葉だ。そこへ今、新たに仲間入りしようとしているのが、「不要不急」。

今回のコロナ禍で真っ先に不要不急とされたのが、音楽、演劇、映画などの文化・芸術だった。不要不急とは、文字通り「重要ではなく、急ぎでもないこと」。劇場や図書館の閉鎖が必要だったのは理解できなくはないが、あっさりそう言われると、「いやいや重要だ！」「今すぐ必要なんだ！」と抗いたくなるし、ドイツ文化大臣の「アーティストは、いま生きるために必要不可欠な存在である」という言葉がまぶしく見えたりする。

一方で、日ごろから「読書は必要」「本は役立つ」的な物言いに引っかかってきた私としては、本なんて読んでも読まなくてもいいよ、と気楽なことを言っていられた頃がちょっぴり懐かしい。

今回の特集は、主に人物に焦点をあてたノンフィクション。「実話に基づいた物語」にも幅を広げ、ぐいぐい引き込まれるものばかり集めました。急ぎでものんびりでも、重要でも重要じゃなくても、好きな文化・芸術を楽しめる世の中が、早くもどってきますように！

（三辺律子）

# 現実こそオチがつく

ブレイディみかこ

事実は小説より奇なり、という使い古された言葉を、これほど世界の人々が切実に感じている年もないのではないか。英国でも、ジョンソン首相が映画のワンシーンさながらの劇的な演説で英国のロックダウンを宣言したかと思ったら、自らコロナに感染し、集中治療室に運ばれるというドラマが起きた。

退院後、ジョンソン首相は、自分が生死の境を彷徨っていたときに昼夜を徹して世話をしてくれた2人の看護師を名指しで讃え、感謝した。一人はニュージーランド出身、もう一人はポルトガル出身だった。

彼は4年前にEU離脱国民投票が行われたとき離脱派のリーダーとして移民制限を訴え、排外主義的な発言で問題になったことのある人だ。また、離脱すれば巨額のEUへの拠出金が浮くので、それをNHS（国民保健サービス）に投資できるという主張を繰り返し、それがデマだと判明しても謝罪しなかった。

そのジョンソン首相が、NHSの移民の看護師たちに命を救われて感謝する映像を発表した。どんな小説家でもこんなに見事なオチをつけることはできないだろう。あまりにも伏線を回収し過ぎているからだ。現実は、たまに恥ずかしげもなくこういうことをする。

拙著『ぼくはイエローでホワイトで、ちょっとブルー』に登場した子どもたちも、ロックダウンの影響を受け、ずっと家でオンライン授業を受けている。9年生（13歳～14歳）の国語の課題は、「ジョージ・オーウェルの『動物農場』のように動物たちを主人公にして、コロナ危機における人間についてのアレゴリーを書きなさい」というものだ。案の定、「首相のことを書いている子が多いみたい」と息子は言っていた。

良くできた実話はアレゴリーになり、小説になっていく。ノンフィクションがあってフィクションがある、という順番がわたしの持論だが、両者の関係は姉妹のようでもある。一見、妹のほうが派手で面白そうだが、地味な姉が奇なる姿を見せるときには妹はかなわない。

『ぼくはイエローでホワイトで、ちょっとブルー』
ブレイディみかこ 著
新潮社刊
＊新潮文庫でも販売されています。

01

*"The Black Russian"*
Vladimir Alexandrov

# 『かくしてモスクワの夜はつくられ、ジャズはトルコにもたらされた 二つの帝国を渡り歩いた黒人興行師フレデリックの生涯』

ウラジーミル・アレクサンドロフ 著
竹田円 訳
白水社

フレデリック・ブルース・トーマスという黒人がいた。1872年、アメリカ南部に解放奴隷の子として生まれ、過酷な人種差別の残るアメリカを見限って渡欧、帝政末期のモスクワで興行主として成功し巨万の富を築くも、ロシア革命によってすべてを失い、命からがらオスマン帝国の首都コンスタンティノープルにたどり着く。そこでも持ち前の不屈の精神で再起を果たし、トルコにジャズを伝えるのだが……歴史に埋もれた黒人の、世界をまたにかけた冒険の生涯を追う歴史ノンフィクション。

著者は膨大な資料をたくみに構成して、当時の風俗、史実、黒人差別、国家の非情を浮き彫りにしている。幾百年と続いた二つの帝国があっけなく滅び去る瞬間、カタストロフに巻き込まれ右往左往する民衆の息遣いが本書からは生々しく伝わってくる。歴史の巨大な渦のなかで個人は無力かもしれない。それでも、つねに逆境にあらがい、人種、言語、階級、宗教――人間が作り出したあらゆる壁を軽々と突破していくフレデリックのバイタリティは爽快で胸を打つ。

（竹田円）

02

“*The Tattooist of Auschwitz*”
Heather Morris

## 『アウシュヴィッツのタトゥー係』

ヘザー・モリス 著
金原瑞人／笹山裕子 訳
双葉社

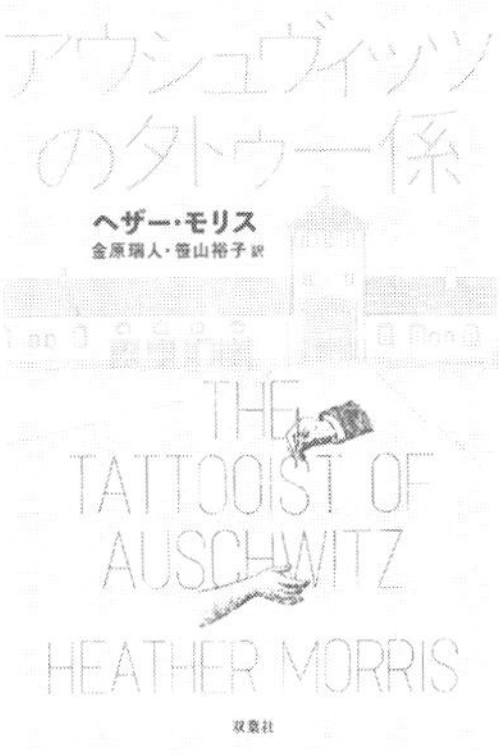


ナチスの強制収容所でタトゥー係をしていた男性の実話をもとにした小説です。スロヴァキアの小さな町出身のラリは、華やかな都会に憧れる社交的でおしゃれな青年でしたが、ユダヤ人というだけの理由で召集され、家畜のようにアウシュヴィッツに移送されます。到着してすぐに、親衛隊員が被収容者を無造作に殺すのを目のあたりにして、「ぼくは生きてこの場所を出る」と心に誓い、同胞の腕に鑑識番号を刻む役割を受け入れるのです。

　アウシュヴィッツから生還した心理学者のフランクルは『夜と霧』（池田香代子訳／みすず書房）に「強制収容所の人間を精神的に奮い立たせるには、まず未来に目的をもたせなければならなかった」と書いています。無辜の人々が、名前も人間としての尊厳も奪われ、虫けらのように殺されていくなかで、ラリを支えていたのも未来への希望でした。愛する人との自由な生活を手に入れるため、しぶとく生きのびようとするラリの強い意志を、絶望の淵のかすかな光のように感じながら訳しました。（笹山裕子）

03

*"Women in Science: 50 Fearless Pioneers Who Changed the World"*
Rachel Ignotofsky

『世界を変えた50人の女性科学者たち』
レイチェル・イグノトフスキー 著
野中モモ 訳
創元社

２０１８年の夏に明るみに出た大学医学部入試の不正をきっかけに、女性差別は決して「過去の話」ではなく、今もなお日本社会に深く根を下ろしている大問題なのだということを思い知った人は少なくないでしょう。とりわけ理工系の高等教育や専門職の世界は、長きにわたって圧倒的男性多数の状態が続いてきました。もし「男は外で働き、女は家庭に入るのがあたりまえ」といった古くさい社会の圧力が無かったら、どれだけの女性が自分の関心を追求し、能力を発揮することができていたでしょう。

この本では、そうした世の中の逆風にくじけずに科学の分野で目覚ましい仕事を成し遂げた女性たち50人が、快活な文章と小粋なイラストで紹介されています。紀元4世紀に哲学・天文学・数学の発展に貢献し「エジプトの賢い女性」と呼ばれたヒュパティアから、１９７７年生まれの「双曲幾何学の天才」マリアム・ミルザハニまで、観察から導かれる仮説とそれを証明する手続き、そして勇敢な生きかたのショーケースです。彼女たちの奮闘を知ることは、きっとあなたの人生も豊かにしてくれるはず。（野中モモ）

04

*“The Boy Who Harnessed the Wind”*
William Kamkwamba / Bryan Mealer

『風をつかまえた少年
14歳だったぼくはたったひとりで
風力発電をつくった』
ウィリアム・カムクワンバ
ブライアン・ミーラー 著
田口俊樹 訳
文藝春秋
＊文集文庫でも販売されています。

世の中には創意工夫があふれている。大きなものから小さなものまで。世界を変えるようなものから、個々人のささやかな暮らしの知恵のようなものまで。本書は、そうした創意工夫で、生まれ育った貧しい国の貧しい村に電気をもたらし、自らの人生も切り拓いたウィリアム少年の物語だ。ウィリアム少年は貧しくて学校にもまともに行けなかった。それでも図書館から借りたアメリカの小学生用の理科の教科書から理論を学び、ゴミ捨て場から廃品を漁って、手製の風力発電装置をつくり上げる。自分の欲得のためではなく、モーターでポンプを動かし、母親の日々の水汲みが楽になるようにと。イノベーション？　なんだ、そりゃ？と私なんぞは翻訳者のくせして訊き返したくなるクチだが、創意工夫は〝豊かな〟国でももてはやされる。が、その価値はまずまちがいなくお金によって測られる。ウィリアム少年の生んだ創意工夫はお金には換算されない。それでも光り輝いている。その輝きはどこか懐かしい。無垢なる創意工夫。そういうもののあることを本書は読者に思い出させてくれる。

（田口俊樹）

05

*"Ruth Bader Ginsburg: The Case of R.B.G. vs. Inequality"*
Jonah Winter
Stacy Innerst

『大統領を動かした女性
ルース・ギンズバーグ
男女差別とたたかう最高裁判事』
ジョナ・ウィンター 著
ステイシー・イナースト 絵
渋谷弘子 訳
汐文社

ルース・ベイダー・ギンズバーグ、通称RBGは現在87歳、アメリカ最高裁判所の最高齢判事だ。

絶大な人気を誇る彼女の真骨頂は、多数意見の矛盾をつく理路整然とした反対意見にある。その反対意見はときに政治を動かし、法律すら変える。だが、RBGは一日にして成らず。母親は、「女性だから」と学問を断念し、娘に夢を託して早世した。彼女自身も女性であるがゆえに、屈辱を味わったり、職探しに奔走するも、拒否され続けたりする。そうした経験に鍛えられて、RBGは大学教授を経て、男女を問わず人間の尊厳を傷つける不公平、不公正、不平等と戦う弁護士となった。そして、1993年、クリントン大統領に指名されて、女性として二人目の最高裁判事となる。RBGは毎日小柄な体をエクササイズで鍛え、度重なる病気やケガから不死鳥のようによみがえって、きょうも正義のために戦っている。わたしは日本にも彼女のような裁判官がほしいといつも思っている。本書は少年少女向けの伝記絵本として出版されているが、大人の読者にもぜひ読んでほしいと思う。（渋谷弘子）

（この「BOOKMARK」が発行された数か月後、ギンズバーグは87歳でこの世を去った。彼女の願いはかなわず後任には保守派の判事が任命された）

06

*"Madame Curie"*
Ève Curie

『キュリー夫人伝』
エーヴ・キュリー 著
河野万里子 訳
白水社

女性初、それも二度のノーベル賞受賞者として、子ども向けの伝記に今も登場するキュリー夫人。でもこの本の著者は、夫人の次女だ。そのため家族との手紙や研究報告書の抜粋、育児日記や走り書きの料理メモまで入っており、一人の人間としてのマリー・キュリーが、冒頭からすでに生き生きと立ち現れる――。「その人は、女だった。他国の支配を受ける国に生まれた。貧しかった。美しかった」

パリの屋根裏での苦学や、夫ピエールとの出会いと永遠の別れ、ラジウムの発見といった話は有名だが、他にもロシアの圧政に負けまいとしたポーランドでの少女時代や、自らが発見した放射線で負傷兵を百万人以上救った第一次世界大戦での奮闘など、その生涯は波乱万丈で、ドラマに満ちている。

１９３８年の刊行以来、日本でも各分野の女性パイオニアたちが若き日に読み、あこがれ、励みにした一冊でもある。「人生は、だれにとってもやさしいものではないわね。でもたいせつなのは、忍耐力と、なにより自信を持つこと」元祖リケジョがそう語りかけてくれる新訳版を、今のみなさんに、ぜひ。

（河野万里子）

07

*"Hillbilly Elegy: A Memoir of a Family and Culture in Crisis"*
J. D. Vance

『ヒルビリー・エレジー
アメリカの繁栄から取り残された白人たち』
J・D・ヴァンス 著
関根光宏／山田文 訳
光文社　＊光文社未来ライブラリーでも販売されています。

貧しいとはどういうことでしょうか。それは仕事やお金がないということでもありますが、それ以上に、貧困の文化のなかにいて、そこから抜け出せないということでもあります。

本書の著者のJ・D・ヴァンスは、鉄鋼業が衰退して廃れたオハイオ州の街で育ちました。まわりには「何をやってもむだ」という空気が満ちていて、うまくいかないことは、ほかの人やもののせいにします。母親は薬物依存症者で、父親は次々とかわっていく。貧困や暴力があたりまえで、それ以外の世界のあり方や生き方を想像できない環境。そんな貧困の文化のなかで育ったのです。

その著者に別の生き方があるのを教えてくれたのは、口は悪くも愛情たっぷりの祖母であり、海兵隊、オハイオ州立大学、イェール大学での日々でした。「おまえは何だってできるんだ」という祖母のことばを足がかりに、著者はそれまで存在することすら知らなかった世界に踏み出していきます。当事者の語りから見えてくる貧困の本質は、日本の社会とも無縁ではありません。（関根光宏／山田文）

08

"*Eyes of the World: Robert Capa, Gerda Taro, and the Invention of Modern Photojournalism*"
Marc Aronson / Marina Budhos

『キャパとゲルダ
ふたりの戦場カメラマン』
マーク・アロンソン
マリナ・ブドーズ 著
原田 勝 訳
あすなろ書房

戦争報道で名をはせたカメラマン、ロバート・キャパと、公私ともに彼のパートナーだったゲルダ・タロー。亡命ユダヤ人の二人が運命的に出会ったのは、１９３４年、パリでのこと。キャパ21歳、ゲルダ24歳でした。ヒトラーが政権を握り、ヨーロッパに再び大戦の影が忍びよる中、被写体に肉薄し、一瞬を切りとる二人の写真は、報道写真に革命を起こします。

キャパとゲルダ、それぞれの伝記は何冊か出版されていますが、本書は、出会いからわずか3年後、ゲルダが戦車に轢かれて亡くなるまでの若い二人の関係を軸に、スペイン内戦や大戦前夜のパリが活写されています。メキシコで新たに発見されたネガフィルムから判明した事実もとりこみながら、スペイン内戦のもつ意味や報道写真の変遷にも目配りしつつ、人が人と出会うことがどれほど大きな意味をもち、人生を変えていく力をもっているかを丁寧に描いています。写真も豊富に収録。夫婦でもある原作者たちが、共同作業への想いを吐露したあとがきは必読！（原田 勝）

09

"Malcolm X: A Life of Reinvention"
Manning Marable

『マルコムX　伝説を超えた生涯』
（上・下巻）
マニング・マラブル 著
秋元由紀 訳
白水社

　マルコムXといえば『マルコムX自伝』やそれに基づく映画『マルコムX』を通じて知っているという方が多いのではないか。どちらも力強い作品で、とくに『自伝』には疾走感があって私も好きだ。しかし『自伝』があまりに効果的に「マルコムX像」を確立させたことは裏目にも出た。『自伝』には事実と異なる記述や創作された部分が少なくないのに、長いあいだ誰もその内容を確かめようとしなかった。それだけでなく、非凡な才能を持ち、米国や黒人という枠を超えて普遍的な構想を抱いていたマルコムが、本書が出るまでずっと、『自伝』が描く単純な黒人指導者像からはみ出ない範囲でしか語られなかったのである。
　歴史家マニング・マラブルは、伝説に閉じ込められたマルコムを解放したかった。そして二〇年以上かけて『自伝』の記述を初めて丹念に検証し、マルコムの人生を再構築したのが本書である。世界中で虐げられている人びとに自分たちの持つ力に気づかせる存在になっていたかもしれない、そんなマルコムの本当の話をぜひ読んでいただきたい。
（秋元由紀）

"*L'Arabe du futur*: Une jeunesse au Moyen-Orient (1978-1984)"
"*L'Arabe du futur 02*: Une jeunesse au Moyen-Orient (1984-1985)"
"*L'Arabe du futur 03*: Une jeunesse au Moyen-Orient (1985-1987)"
Riad Sattouf

『未来のアラブ人　中東の子ども時代（1978-1984）』
『未来のアラブ人2　中東の子ども時代（1984-1985）』
『未来のアラブ人3　中東の子ども時代（1985-1987）』
リアド・サトゥフ 著
鵜野孝紀 訳
花伝社

シリア人の父とフランス人の母を持つ、フランスのバンド・デシネ（仏語圏の漫画）を代表する漫画家で映画監督でもあるリアド・サトゥフの自伝的作品。フランスでたちまちベストセラーとなり、22カ国語に翻訳された話題作。

作品名は、作者が父に「未来のアラブ人」は教育により無知蒙昧から抜け出さねばならぬ、と常々言い聞かされたことから。パリで博士課程を修めた大学教員の父について家族で暮らした赴任先の中東諸国（リビア、シリア）やフランスで過ごした日常が淡々と描かれる。厳格で、ときに残酷なイスラム教国家の知られざる現実（独裁政治下の統制経済、イスラム法に基づく男女格差、教師による児童虐待など）はかなりショッキングな内容も含むが、作者独特の丸っこい絵柄やユーモアでサラッと読ませる。

普段漫画を読まない祖母でも読める作品を目指したという本作。フランスでは子どもから老人まで幅広い読者を獲得、サトゥフはこの10年で最も成功した作家と称される。フランスでは2022年に全6巻で完結。邦訳版・第4巻が2023年に刊行予定。

（鵜野孝紀）

11

*"Storia di Iqbal"*
Francesco D'Adamo

『イクバルの闘い
世界一勇気ある少年』
フランチェスコ・ダダモ 著
荒瀬ゆみこ 訳
鈴木出版

パキスタンの絨毯工場で奴隷まがいの扱いを受けていた幼い少年が、人権団体の助けで解放され、児童労働撲滅運動の旗頭となって世界に問題を訴えかけた。なのに、凱旋した故郷の村で凶弾に倒れてしまう。悲劇の主人公、イクバル・マシーの伝記本は複数あるが、イタリアの作家によるこの児童書は、イクバルと彼を取り巻く子供たちの群像劇だ。ともに工場を脱出した架空の少女ファティマが、その後移民としてイタリアに渡り、イクバルと過ごした日々を回想するのだが、最後はファティマの妹分でパキスタンに残ったマリアの力強い手紙で締めくくられる。先進国の片隅で生きる移民の少女を語り部としたことで、読者には遠い話を身近に感じさせ、同時代の異国の現実を想像させることに成功している。

実はイタリアでは続篇も出版されている。こちらは大人になったファティマとマリアの物語で、ファティマはイタリアでアフリカ系移民の幼い子を救い、マリアはパキスタンの劣悪な労働環境を告発する。教師でもある作者が描くのは、やはり一人の勇者の伝記ではなく、その遺志を継ぐ者たちの物語。そう、イクバルを忘れないためのお話なのです。

（荒瀬ゆみこ）

"*Rocket Boys*"
Homer H. Hickam, Jr.

## 『ロケットボーイズ』（上・下巻）

ホーマー・ヒッカム・ジュニア 著
武者圭子 訳
草思社文庫

1957年、10月の夜空をゆうゆうと、輝く星のように横切っていったソビエトの人工衛星スプートニク。そのようすを食い入るように見つめていた平凡な高校生サニー（著者の愛称）の心に希望の灯がともった。「そうだ、ロケットを作ろう！」本書はウェストヴァージニア州の小さな炭鉱町に生まれ、のちにNASAの技術者となった著者がロケットづくりに打ち込んだ自らの高校時代をいきいきとユーモラスに甦らせた自叙伝。サニーは早速仲間たちを集めて一から勉強し、先生や炭鉱の技術者の応援も取りつけて小さな手作りロケットを飛ばし始める。その頃、故郷の炭鉱町では労働争議が頻発し、町はかつての勢いを失って衰退の一途をたどっていた。そんな中、はじめは嘲笑していた町の人々も〝ロケットボーイズ〟を応援するようになり、ロケットの打ち上げは町の大きなイベントになっていく……。人々の夢や希望も載せて青空高く飛ぶロケット。夢を一途に追いながら、つまずきながらも成長していくサニー。夢をもち、挑戦することの楽しさ、大切さを教えてくれるさわやかで心温まる成長物語。

（武者圭子）

13

*"Born a Crime: Stories from a South African Childhood"*
Trevor Noah

『トレバー・ノア 生まれたことが犯罪!?』
トレバー・ノア 著
齋藤慎子 訳
英治出版

人種別に隔離され、住む場所、教育、職業、結婚にいたるまで管理される社会。ディストピア小説ではない。アパルトヘイトという人種差別政策が実際におこなわれていたのはわりと最近のことなのだ。

そんな社会で黒人と白人の間に生まれ（存在自体が犯罪の証）、黒人として育った世界的人気コメディアンが、幼少期から青年期を印象的なエピソードで語る実話エッセイ。笑いあり、心に刺さるメッセージあり、考えさせられるテーマあり、スタンダップコメディの活字版ともいえる本書。人種問題にユーモアでおちゃめに切り込めるのも、幼い頃からわが身にしみているからこそ。母親もすごい。自分にはないない尽くしだった機会をわが子に与えようとする気迫と実行力。おかげで、超質素な暮らしも「貧しいと感じたことはない。日常生活がいろんな体験で満ちあふれていたから」とトレバー。

理不尽な社会環境から来る、差別、貧困、暴力、犯罪といった負の連鎖を断ち切り、堪え難いこともユーモアで乗り越えようとする母子。泣いて、笑って、前を向いて生きていく力がみなぎる一冊。

（齋藤慎子）

14

"*Dear World: A Syrian Girl's Story of War and Plea for Peace*"
Bana Alabed

『バナの戦争
ツイートで世界を変えた7歳少女の物語』
バナ・アベド 著
金井真弓 訳
飛鳥新社

「今夜、わたしは死んじゃうかもしれない」内戦が続くシリアのアレッポで、7歳の少女バナ・アベドはこうツイートした。爆弾の雨が降る、いつ命を失うかわからない状況にいるバナの、子どもたちを救ってほしいと必死に訴えるツイートは多くの人の心をとらえていった。やがて彼女が願ったように、アレッポの惨状を世界中の人たちが知るようになる。

本書はバナの手記と母親の語る章から成り立っている。「タイム」誌が選ぶ「ネット上で最も影響力がある25人」にも選出されたバナは、戦争の恐怖や悲惨さをリアルに訴える。包囲されたアレッポでの暮らしぶりは、新型コロナウイルスによって外出を制限されていた人たちにとって、奇妙なほど身近なものに思われるだろう。争いや混乱は遠い国の話で、自分たちの国では起こらないと手遅れになるまで信じていた、という母親の言葉にはドキリとする。戦争も災害も、難民も貧困も決して対岸の火事ではない。世界が揺れ動いている今だからこそ、平和を願う少女の声に耳を傾けてほしい。

（金井真弓）

15

"*Plaidoyer pour la vie*"
Denis Mukwege / Berthild Akerlund

『すべては救済のために
デニ・ムクウェゲ自伝』
デニ・ムクウェゲ
ベッティル・オーケルンド 著
加藤かおり 訳
あすなろ書房

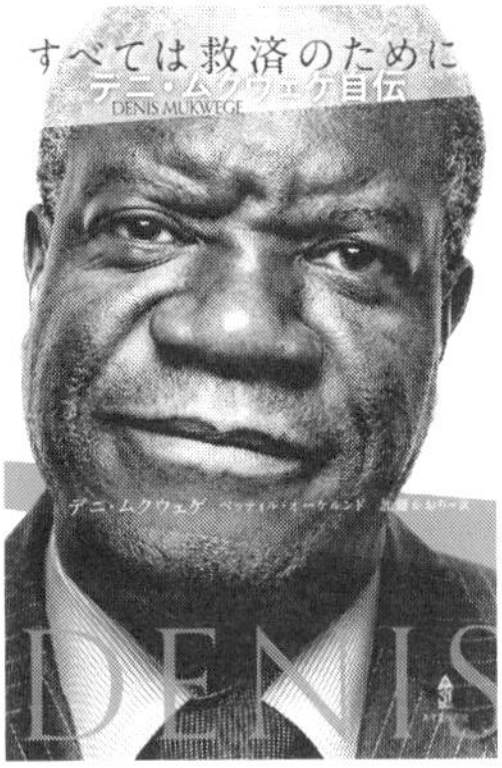


2018年、性暴力の撲滅を目指す取り組みが評価されてノーベル平和賞を受賞したムクウェゲ氏。産婦人科医である同氏が活動するコンゴ民主共和国では凄惨な暴力を伴うレイプが横行しており、その背景にあるのが、スマートフォンなどの電子機器に欠かせない希少鉱物をめぐる不法な争奪戦だ。つまり私たちの便利な暮らしは、コンゴの人々の苦しみの上に成り立っている。まずは本書でそのことを知ってほしい。決して難しい本ではない。自伝であり、軸となるのはムクウェゲ医師の足跡だ。興味深いのは、同医師の人生がコンゴの現代史と見事にリンクしていること。ひとりの人間の人生が、凡百の教科書よりも雄弁に、資源大国であるがゆえにつねに搾取と紛争の被害を受けてきた同国の悲劇の歴史を伝えている。最大の読みどころは、何度も死線をかいくぐってきた同医師の、信念と信仰に貫かれた揺るぎない生きざまだ。コロナ禍で社会の連帯が求められる今、他者を救うために命をかけて闘うムクウェゲ医師の勇気ある生き方に触れ、同医師が体現している「利他の精神」を心に刻みたい。

（加藤かおり）

16

*“Reasons to Stay Alive”*
Matt Haig

『#生きていく理由 うつ抜けの道を、見つけよう』
マット・ヘイグ 著
那波かおり 訳
早川書房

マット・ヘイグは、抱腹絶倒のユーモア小説『今日から地球人』（鈴木恵訳）などで人気の高い英国人作家。この本には、彼が作家になるまえの、20代のうつ病体験がつづられている。治療ガイドとするにはおそらく個人的すぎる。でも個人的な経験をとことん正直に、深く、つぶさに、作家ならではの絶妙な比喩をはさんで語っていくことで、うつ病に限らない、「明日が見えないトンネル」でどうすべきかという汎用性の高い人生案内になった。

案内人は、行きあたりばったりで酒浸りクスリ浸り、「心の皮が薄い」ために傷つきやすい、まことに頼りないマット青年だ。そこがとてもよい。読者は真っ暗なトンネルのなかを彼とともに息を潜めて歩く。未来から、病の回復期に本を読みまくって作家になった著者が何度も呼びかける――とにかく生きろ、もちこたえろ、ふがいなさ上等、と。

生きていく理由は、人の数だけあるはずだ。著者は原題にハッシュタグを付けて、SNSでそれを問いかけた（#reasonstostayalive）。日本語版タイトルに「#」がついたのは、このエピソードにちなんでいる。よければ、あなたの「#生きていく理由」も投稿してみてください。（那波かおり）

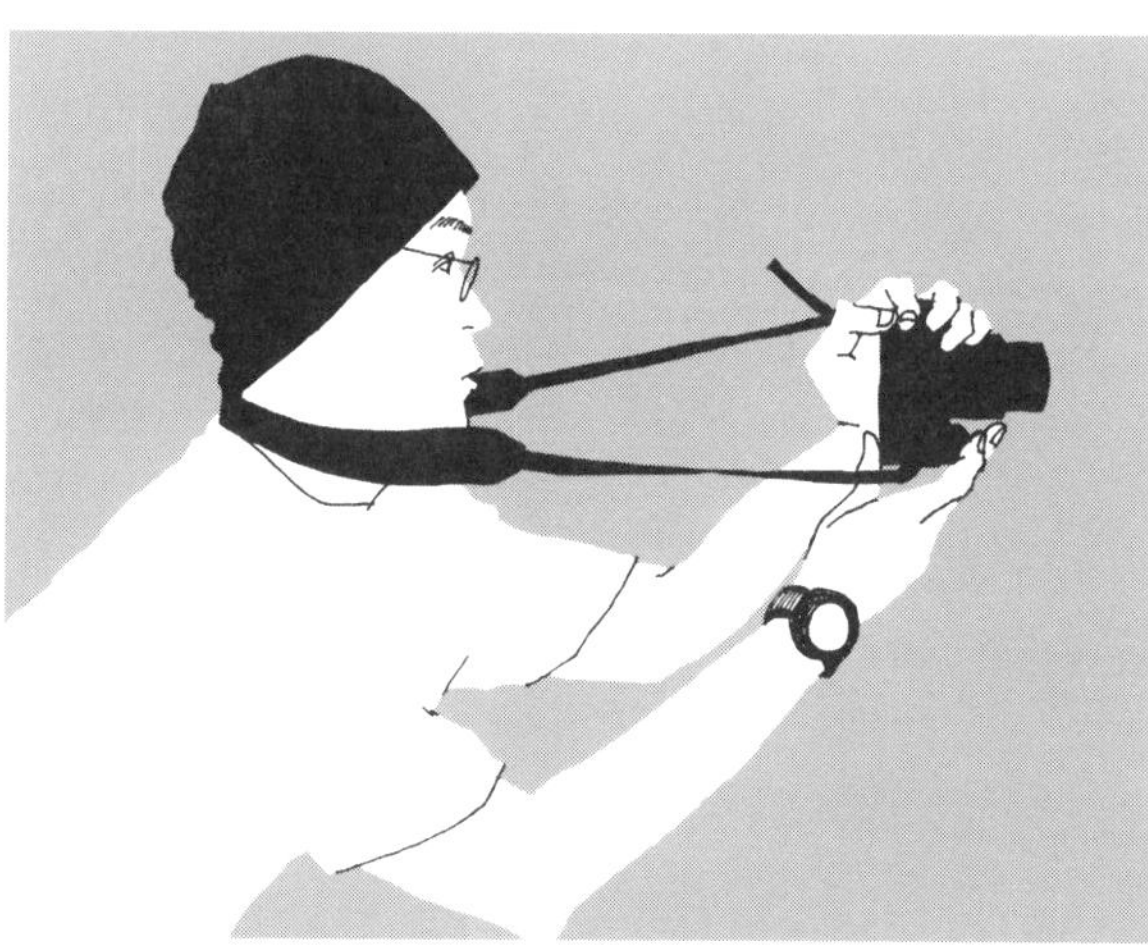

# 17

## Books on Books　本についての本特集

中学生の頃から本が好きで、面白そうと思った本は片っ端から読んできたのだが、その「本」というのは「中身」だった。だから新本であろうが古本であろうが、単行本であろうが文庫本であろうが、活字であろうが電子書籍であろうが、縦書きであろうが横書きであろうが、どうでもよかった。ところがある日、中世の祈祷書の1ページを手に取って、驚いた。羊皮紙に手書きで、色の飾り文字も入っている。羊の皮をなめして、薄い羊皮紙にして、それにペンで書きこんだものだ。当時、聖書を1冊作るのに、羊が250頭必要だったという。それが数百年後の自分の手の上にあるのをみて、軽く宙ぶらりんの気持ちを味わった。それ以降、幕末から明治にかけての英和、和英辞典を集めるようになった。

それはともかく、「本」ってなんなんだろうと、たまに考える。たとえば、歌人、塚本邦雄が寺山修司や岡井隆と大きく違うのは、部数限定の豪華本を驚くほどたくさん作っていることだ。あの造本、装丁へのこだわりは彼の美意識にほかならないのだろうが、歌は歌であって、本ではない、それを十分に知ったうえでの、物としての本へのこだわりは恐ろしいほどのものがある。はっきりいって、「読むな！」といわんばかりの本なのだ。しかし作家には作家の本へのこだわりがある。今回はそちらのほうの特集です。（金原瑞人）

# 我が友バートルビー

都甲幸治

ニューヨークに行った。ちょうど正月頃で、コロナが流行り始める直前の時期である。たまたまワシントンスクエアの目の前にある古いホテルに部屋を取った。どれぐらい古いかと言うと、みんなが同じ時間にお風呂に入りたくなる。そうするとホテル全体でお湯の量が足りなくなって、全部の部屋でお湯が出なくなってしまう。

空き時間には友人とニューヨークのいろんな場所を巡った。自由の女神を見て、中華街に行って、美術館も巡った。それはそれで楽しかったけど、結局一番印象に残っているのは空き時間の散歩である。カフェ。古い教会。ボロい地下鉄の入り口。一つ一つが東京とは違っていて趣き深かった。

日本に帰ってから、メルヴィルの『書記バートルビー』を読んだ。この作品の舞台であるウォール街は、ワシントンスクエアからちょっと南に下った場所にある。今回の旅行でマンハッタン島の南の方の雰囲気や匂いやたたずまいが分かったおかげで親しみが湧いた。

バートルビーは弁護士の助手で、19世紀にはコピー機なんかないから、法律の文章を手書きで写す。彼は最初は調子よく仕事をしていたが、そのうち「しない方がいいのですが」という謎の言葉を繰り返すだけで何もしなくなる。そして勝手に事務所に住み着いてしまう。食べるのはジンジャーナットというクッキーだけである。彼をどうにも追い出せなくて、しょうがないから事務所の方が引っ越す。そして彼は亡霊のように建物に取り憑く。

ウォール街のように、有能なものしか生き残れない、という場所で彼みたいな、極端に無能な人が何もせずにいる、という話を書くメルヴィルのセンスに痺れる。そしてまた、有能であることに疲れた僕らにとって、バートルビーは一つの目標だと思う。ダメでもいいじゃない。ニューヨークに行ってそう感じられるようになっただけでも収穫だった。何しろ、バートルビーと同じ街を僕も彷徨えた、というだけで嬉しくなってくる。

『「街小説」読みくらべ』
都甲幸治 著
立東舎

01

"Among Others"
Jo Walton

『図書室の魔法』（上・下巻）
ジョー・ウォルトン 著
茂木 健 訳
創元SF文庫

心を病んで子を虐待する母親は魔女であり、その魔女に苦しめられる幼い双子の姉妹は、魔法で対抗する。だが、力およばず妹は落命し、姉は片脚に重い障碍を負ってしまう。本作は、ひとりになった15歳の姉が遠い昔に別れた父親に引き取られ、寄宿学校に入れられた日から起筆された彼女の日記という体裁をとっている。

寄宿学校で当然のように孤立する主人公は、自身がもつ魔力やフェアリーとの交流をさかんに書き記す。とはいえこれは、孤独と憂愁を糊塗するための少女の空想かもしれない。逆に彼女が詳述する掛け値なしの現実は、次々に読破するSF／ファンタジー小説のことばかり。そう、彼女は恐るべき読書家であり、このSFへの熱愛が学校の図書室、町の図書館を通じて彼女を未知の人たちと結びつけ、孤独から救ってゆく。作中で言及される本は、SFを中心に優に170冊を超える。邦訳版ではすべてを巻末に列記しておいたので、物語が設定されている1979年までの代表的SF作家と作品を概観するのにも、実用性が高い一冊になった（と信じたい）。（茂木 健）

02

*“From the Good Mountain: How Gutenberg Changed the World ”*

James Rumford

## 『グーテンベルクのふしぎな機械』

ジェイムズ・ランフォード 著
千葉茂樹 訳
あすなろ書房

読書が大好きな人のことを「活字中毒」といったりしますが、いまやこの言葉は正確とはいえません。活字を用いて作られた本を手にする機会など、ほとんどなくなってしまったからです。一冊一冊、人の手によって書き写されていた写本の時代と、活字を使わない本、さらには紙とインクさえ使わない電子書籍がどんどん幅をきかすようになった現代。その間500年以上にわたって、本作りの主流だった活版印刷を発明したとされるのがグーテンベルクです。

　本書は絵本です。グーテンベルク考案の活字や印刷機による本作りの過程だけではなく、紙やインクの作り方まで、絵本の利点を最大限に生かしてビジュアル化し、子どもから大人にまでわかりやすく簡潔に紹介しています。グーテンベルク聖書の見開き写真も掲載されているのですが、その芸術的美しさにはうっとり。

　絵本が大好きで、子どもの頃から手作り絵本を作っていたという作者の、本への愛情がすみずみまで行き届いたこの作品、本好きの皆さんにぜひ。

（千葉茂樹）

03

*"Literary Wonderlands: A Journey Through the Greatest Fictional Worlds Ever Created"*
Laura Miller

『世界物語大事典』
ローラ・ミラー 総合編集
巽 孝之 日本語版監修
越前敏弥 訳
三省堂

原題は"Literary Wonderlands"で、日本語だと、「文学における〝不思議の国〟」とでも言うべきだろうか。不思議の国と言えばもちろんアリスだが、この事典で紹介されているのはファンタジーやSFや児童書のジャンルに属する作品だけでなく、『神曲』から『1Q84』まで、古今東西にわたる空想世界を舞台とした全ジャンルのとてつもなく豊かな物語の数々だ。

空想世界が舞台だからといって、描かれているのはただの絵空事ではない。すぐれたフィクションは、現実世界の諸問題をノンフィクション以上に鮮やかに際立たせる側面を持つ。この事典では、ありとあらゆる形のユートピア（理想郷）やディストピア（暗黒郷）、さらにはコントピア（共生郷）とも呼ぶべきものが紹介される。それらを描いた作品に共通するのは、現在を的確に分析し、未来を大胆に予見する鋭い批評精神だ。この事典での紹介から何か感じることがあったら、その物語を手にとって、想像上の世界への旅を楽しみつつ、不安な現代と向き合う強力な武器としてもらいたい。

（越前敏弥）

04

"*A Stranger in Olondria*"
Sofia Samatar

『図書館島』
ソフィア・サマター 著
市田 泉 訳
東京創元社　＊創元推理文庫でも販売されています。

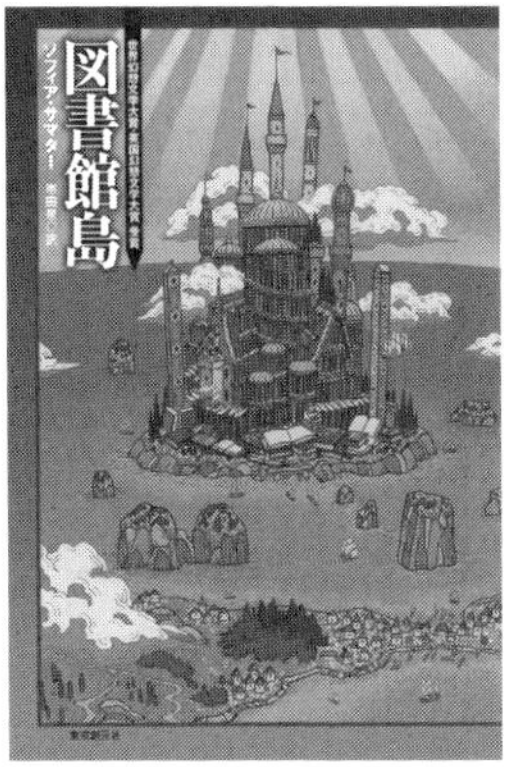


思春期に初めて文字の存在を知った辺境の青年ジェヴィックは、帝国の文学に耽溺して成長する。やがて彼は憧れのオロンドリア帝国に赴くが、病死した少女の幽霊にとり憑かれ、それが原因で思いもよらぬ長旅をすることになる。

原書を初めて読んだときは、語られ記される言葉を中心に異世界を作り上げようとする作者の情熱に圧倒された。作中には創作言語（地方ごとに異なる）がちりばめられ、主人公が旅先で聞かされる歌や伝説もふんだんに盛り込まれている。主人公はまた、ゆく先々の風景を見ては、その土地にゆかりの書物の一節を思い出す。そうした引用や作中作が、物語の背景となる帝国の長い歴史と文化の豊かさを浮かび上がらせる。

少女の幽霊は主人公に「わたしのことを本に書いてくれ」と懇願する。その哀切な願いは、作中にあふれる先人の記述や口碑と相まって、言葉が後世に残ることの意味を幾重にも考えさせてくれる。日ごろ何気なく行なっている、文章を記すという営みも、この物語を読んだあとでは少し違った角度から眺められるかもしれない。（市田 泉）

05

*"Nos richesses"*
Kaouther Adimi

## 『アルジェリア、シャラ通りの小さな書店』

カウテル・アディミ 著
平田紀之 訳
作品社

まだアルジェリアがフランスの植民地であった第二次大戦直前、首都アルジェで、リセを卒業したての若者エドモン・シャルロが、乏しい資金をやりくりして小さな書店兼出版社、〈真の富〉社を立ち上げた。彼の夢は、書物によって、地中海に橋を架けること――親友アルベール・カミュやリセ時代の哲学教師ジャン・グルニエらの協力を得て、シャルロはこの夢の実現に向けて邁進する。この小説は実在した（シャルロは2004年没）伝説的出版人の半生を彼の日記の形をとって追う。大戦中・戦後の紙や印刷インキの欠乏、ナチの手を逃れてアルジェにやってきた作家たちとの交流、官憲からカミュの行方を追及され逮捕される話など、興味深い逸話が満載だが、特に、あのサン＝テグジュペリが最後の偵察飛行に出る直前の姿をシャルロが垣間見るシーンは感動的だ。戦後はパリに支社を作るが、ガリマールなどの大手出版社による迫害を受けて重要な著者を奪われる。それでも挫けずに出版を続けるシャルロの姿は、本を愛し、文学の力を信じる人たちに限りない勇気を与えるだろう。

（平田紀之）

06

"Der Vorleser"
Bernhard Schlink

# 『朗読者』

ベルンハルト・シュリンク 著
松永美穂 訳

新潮社刊　＊新潮文庫でも販売されています。

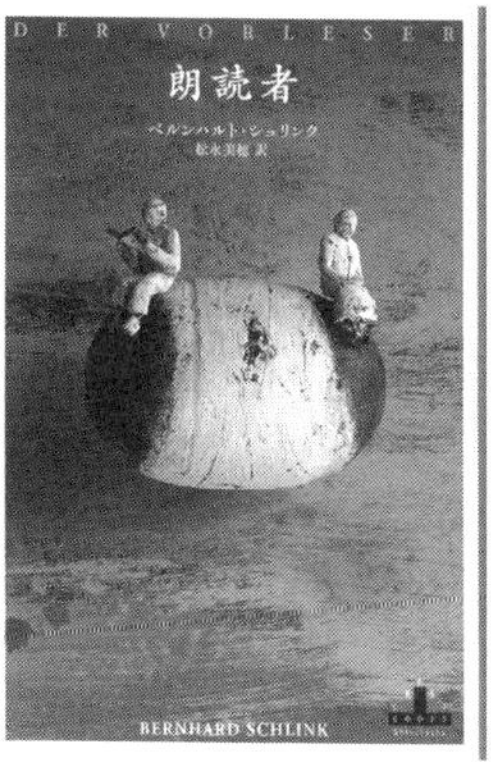


15歳の少年が、36歳の独身女性と恋仲になる……。『朗読者』は、そんな衝撃的な始まり方をしています。初めての性体験に夢中になる少年。路面電車の車掌をしていて、自分のことはあまり話そうとしない女性。女性は少年に、セックスの前に文学作品を朗読してくれるように頼みます。他の人に打ち明けることのできない秘密の恋は、ある日あっけなく終わり、少年はその理由がわからずに苦しみます。作者のシュリンクは、ドイツの有名な憲法学者でもあります。小説では後半、アウシュビッツ裁判の様子が描かれ、かつての少年は法廷で、自分が愛した女性と再会。物語は大きく動き始め、謎が解けていきます。

裁判では必ず白黒をつけなくてはいけないけれど、戦争犯罪はそんなに簡単に裁けるものなのだろうか？　もし自分がその現場にいたら、と想像することなしに、当時の人々を断罪するのは不当ではないか？　ミステリーでデビューした作家らしい伏線も仕掛けながら、作者はさまざまな問いを読者に投げかけます。世界各地でベストセラーとなった、シュリンクの代表作。

（松永美穂）

07

*"Grâce et Dénuement"*
Alice Ferney

『本を読むひと』
アリス・フェルネ 著
デュランテクスト冽子 訳
新潮社刊

アンジェリーヌ婆さんは一般に抱く異国情緒に溢れるイメージとはほど遠いジプシー家族の家長。4人の息子、その嫁、孫に囲まれ日がな焚き火をいじくって暮らしている。現代社会から疎外され孤立し、電気も水道もない空き地に無断侵入し怖いもの知らず。社会保障も学校教育も法律も知らない彼らだけの閉鎖された世界。

とある日ジプシーが「よそ者」と呼ぶフランス人の女性エステールがそこにやってくる。彼女は図書館員。彼女にとって本は人生に不可欠なもの。本を知らない子供達に読書の持つ魔力を教えてあげたい一心で、ジプシーの家族から白い目で睨まれながらも本を担いで週に一回その野営地に通ってくる。アンジェリーヌ婆さんは読書をするエステールを半信半疑の横目で観察する。読書が始まるや、子供達は現実の世界を離れ、夢の世界に吸い込まれ虜になっていく。アンジェリーヌ婆さんも家族も次第にエステールの誠実さに目覚め、二つの世界を結ぶ絆が成り立つ。

欲望も羨望もない貧困の世界にも笑い、涙、喜び、美しさが存在し、ジプシーの凄まじき精神が心に感動を喚び起す。

（デュランテクスト冽子）

08

"Finding Langston"
Lesa Cline-Ransome

## 『希望の図書館』

リサ・クライン・ランサム 著
松浦直美 訳
ポプラ社

　舞台は第二次世界大戦終戦から間もないシカゴ。主人公は、中2の黒人少年、ラングストン。ただでさえ難しい年頃なのに、母の死、田舎から大都会への引っ越し、新しい学校でのいじめ、故郷に残してきた祖母の死と、つらいことが立て続けに起これば、人生のどん底をさまよっている気分だろう。そんなときラングストンを支えたのは、黒人でも利用できる図書館と、自分と同名の詩人、ラングストン・ヒューズの詩の世界だった。ときどき主人公の気持ちを代弁するように引用されるヒューズの詩が心にしみる。本書を訳し、ひとりのおとなとして、子どもたちを見守るヒントをもらったように思う。

　作者はこれまで、さまざまな分野における黒人の活躍を絵本にして紹介してきた。小説デビュー作となった本書は、南部から北部への黒人の大移動とそれに伴う黒人文化の開花を背景とする歴史小説だ。BLMが世界的に注目されるなか、アメリカの人種問題についてもっと知りたいけど歴史書はとっつきにくいなら、ラングストンの視点でこの時代の様子をみてみませんか？

（松浦直美）

## 09

"*BOOK: My Autobiography*"
John Agard
Neil Packer

# 『わたしの名前は「本」』

ジョン・アガード文
ニール・パッカー画
金原瑞人訳
フィルムアート社

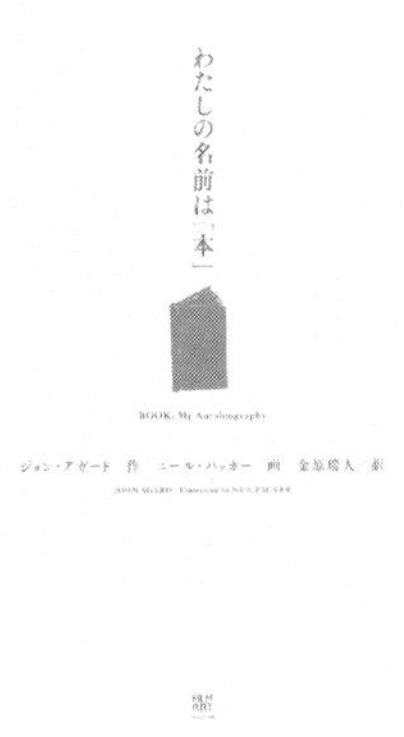


若い頃からずっと、本というのはテキスト以外の何物でもないと思っていた。ところがあるとき、元祖『イリアス』って、どんな「本」だったんだろうと気になった。平安時代の『源氏物語』でさえ紫式部本人の書いたものは残っていない。ホメロスの直筆の本なんて、まず現存していないだろう。とすると、岩波文庫で読んだ「あれ」は、どこにあるどんな『イリアス』を訳したものなんだろう。いや、死海文書は部分的ではあるが残っているし、メソポタミア文明の『ギルガメシュ叙事詩』は粘土板が残っているわけで、もしかしたら……などと、物としての本が気になってきた。それで分厚い解説本をいろいろ読んでなんとか、その答えはわかってきたのだが、そんな本の歴史をもっとスリムに語ったものはないんだろうかと思っていたら、この薄い本に出会った。イラストがたっぷり入った１４０ページほどの本に、本や図書館の歴史がじつにコンパクトにまとめられているうえに、本にまつわる格言や詩までちりばめられている。

しゃくに障るほどスマートな本です！　（金原瑞人）

10

“A Child of Books”
Oliver Jeffers / Sam Winston

『本の子』
オリヴァー・ジェファーズ
サム・ウィンストン 著
柴田元幸 訳
ポプラ社

この絵本は、絵のかなりの部分が、言葉で出来ている本です。海、山、怪物、道等々が、それに相応しい物語から抜き出した言葉で出来ているのです。たとえば怪物は、『フランケンシュタイン』や『ドラキュラ』の言葉から成っています。

使われている本は、児童文学の名作と言われる本が大半です。だから、たいていの人は、びっしり集まった、集まりすぎて読めないところも多い言葉を読めるだけ読んでいくと、あーこれは、と懐かしい思いに駆られることが多いのではと想像します。

想像します、と他人事のように言うのは、僕自身にとってはそういう懐かしさは本当に他人事だからです。子供のころ本をほとんど読まなかったので、夢中になって物語の世界に浸ったとか、そういう経験がまったくありません。それでも、ポプラ社の吉田元子さんに誘われてこの本を読んでみて、とても面白かったので、ふだんは依頼されて翻訳を引き受けることはめったにないのですが、引き受けました。翻訳は、児童文学の名作をあれこれつまみ食いするような作業で、とても楽しかったです。

（柴田元幸）

11

*“The Fire Within”*
Chris d’Lacey

『龍のすむ家』
クリス・ダレーシー 著
三辺律子 訳
竹書房文庫

「下宿人募集――ただし、子どもとネコと龍が好きな方に限ります」。大学の新学期直前にデービットが見つけた下宿先は、そんなちょっと変わった条件があるものの、こぢんまりとしたすてきな一軒家。大家のリズは陶芸家で、11歳の娘ルーシーとネコのボニントン、そして、リズの作品である陶器の龍たちと暮らしている。口から先に生まれてきたようなルーシーに振り回されつつも、デービットは大学町での生活にだんだん慣れていくが、このウェイワード・クレッセント42番地の家にはある秘密が隠されていた……。

第1巻にあたる本書で、デービットは自分だけの特別な龍を手に入れることで、作家としての才能を開花させる。その後2巻以降で、デービットが辿る変遷には驚くにちがいない。子どもだったルーシーも情熱的な若い女性へと成長し、42番地の龍たちの秘密もひとつひとつ明らかになって、物語はついに宇宙まで広がっていく。

現在、5巻＋スピンオフ3冊が発売されている本シリーズ。いよいよ（というか、やっと？）6巻目と7巻目も動き出す予定ですので、どうぞご期待ください！

（三辺律子）

12

*"Mr. Penumbra's 24-Hour Bookstore"*
Robin Sloan

『ペナンブラ氏の24時間書店』
ロビン・スローン 著
島村浩子 訳
創元推理文庫

本好きのみなさま、梯子がかかった、3階分は高さのありそうな書棚を見たら、わくわくしませんか？　ペナンブラ氏の24時間書店には、そんな書棚がずらりと並び、そのうえそこに置いてある本は暗号で書かれているのです。

本書は全米図書館協会アレックス賞（YA世代に薦めたい本に与えられます）を受賞し、日本では全国大学ビブリオバトル２０１４でグランドチャンプ本に選ばれました。主人公の青年クレイは友人とコンピュータの力を借りて暗号の解読に挑んだことから、５００年も昔の活字をめぐる冒険へと旅立つことになります。恋と友情、ユーモアと風刺に溢れ、アナログ派もデジタル派も、若い世代も年を重ねた世代も楽しめる作品です。宮崎アニメを思い出させる情景描写も魅力的。

本書の前日譚の邦訳『はじまりの24時間書店』には、店主ペナンブラの若かりし日と、本をめぐる冒険が描かれていますので、どうぞこちらもご覧ください。

（島村浩子）

## 13

*"A Library of Lemons"*
Jo Cotterill

## 『レモンの図書室』

ジョー・コットリル 著
杉田七重 訳
小学館

本を、精神の避難所にしている人は多い。この物語の主人公カリプソもそのひとり。

「べつに人ぎらいってわけじゃないけれど、正直にいえば、本のほうがいい。本が頭のなかにつくってくれる安らぎの場所、魔法や、無人島や謎に満ちた世界が好き」と、11歳の少女はいう。本と自分があればいい。それ以外のものはいらないと思っていたわけで、当然友だちをつくろうともしない。そんな彼女に、ある日とうとう、本好きの友だちができるところから物語は動きだす。

じつはカリプソは母を亡くしていて、鬱傾向の父親とふたりで暮らすヤングケアラーだ。自分が成長していくことで精一杯なはずが、親兄弟や祖父母の世話に追われる。そういう子どもや若者のことをヤングケアラーといい、最近日本でも大きな問題となっている。「自分のいちばんの友だちは自分なんだ」が口癖で、娘に「強い心」を持つことを強要する心を病んだ父親とふたり、カリプソは厳しい現実をどう生きていくのか。

困難に遭ったときの、本の力、友の力の凄さに、改めて気づかされる物語だ。

（杉田七重）

14

"*Mercredi à la librairie*"
Sylvie Neeman
Olivier Tallec

『水曜日の本屋さん』
シルヴィ・ネーマン 文
オリヴィエ・タレック 絵
平岡 敦 訳
光村教育図書

フランスの本屋へ行くと、床にどっしりとすわりこみ、堂々と店の本を読んでいるお客を目にすることがある。それを店の人がとがめるふうもない。まるで本好き同士を結ぶ暗黙の了解が、彼ら、彼女たちのあいだに交わされているかのようだ。

この絵本に出てくる老人も、街角の小さな本屋で肘掛け椅子に腰を落ち着け、ぶ厚い本を読んでいる。学校が休みの毎週水曜日、店に通ってくる女の子は、老人のことが気になってしかたない。さし絵の一枚もない難しそうな本が、面白いのだろうか？ そんなに好きな本なのに、どうして買わないの？ けれどそこに描かれている戦争の話が、老人にとってとても大切なことらしいのは、女の子にも感じ取れた。

そしてクリスマスが近づいた冬の日、本屋のおねえさんが示した粋なはからいに、女の子の胸はぱっと明るくなる。「なんだか、世界中がほほえんだようなきがした」という彼女のひと言に、読者のなかにも晴れやかな光が射すだろう。そう、書店とは本好きたちが集い、心をかよわす場所でもあるのだ。

（平岡 敦）

15

*“The Secrets We Kept”*
Lara Prescott

# 『あの本は読まれているか』

ラーラ・プレスコット 著
吉澤康子 訳
東京創元社　＊創元推理文庫でも販売されています。

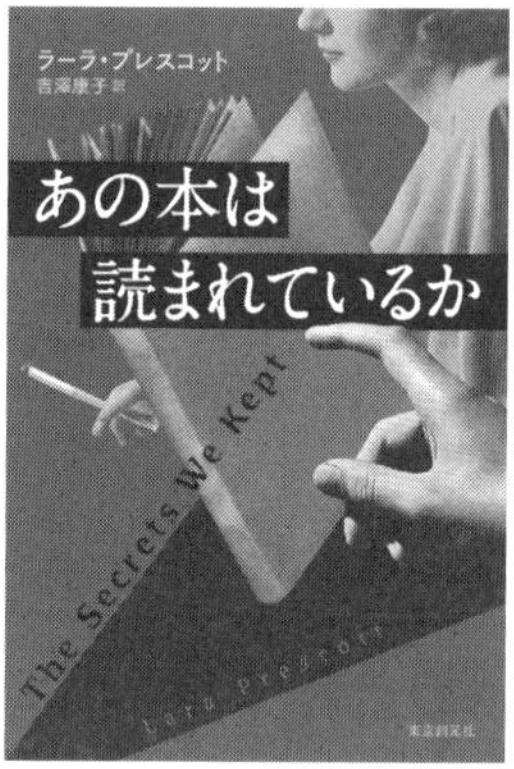


「1冊の小説が世界を変える」という信念に命をかけたCIAの女性たちと、その小説の執筆にあたって著者の支えとなったソ連のある女性が、主人公。冷戦時代のアメリカが、ソ連で発禁となった「あの本」を武器としてソ連の社会体制をくつがえそうとした歴史的事実と、その陰で秘密を守りつつ、性差別や理不尽な仕打ちに耐え、信念を曲げずに愛を貫いた女性たちのフィクションが、見事に融合しています。2020年エドガー賞最優秀新人賞にノミネートされ、マカヴィティ賞スー・フェダー歴史ミステリ賞を受賞しました。

アメリカの新人作家が3年かけて書いたこの作品は、23社によるオークションにより200万ドルで落札され、大評判となったものです。原題は“The Secrets We Kept”「わたしたちが守った秘密」。本書の内容をよく表しているのですが、よりインパクトのあるタイトルをと、編集者さんが考えてくださった邦題となりました。読み終わったあとの余韻にひたりながら、その意味を考えていただけると嬉しいです。「あの本」とは、1958年にノーベル文学賞に輝き、映画にもなっている『ドクトル・ジバゴ』ですが、こちらは未読でもまったく問題ありませんので、安心して本書からお読みくださいね。

（吉澤康子）

16

“*Soinujolearen semea*”
Bernardo Atxaga
『アコーディオン弾きの息子』
ベルナルド・アチャガ 著
金子奈美 訳
新潮社刊

ベルナルド・アチャガは、スペイン北部とフランス南西部に跨るバスク地方で話される少数言語、バスク語の作家として国際的に知られる。15年前に初めて読み、いつかきっと訳したいと思っていたこの小説を、ようやく念願叶って刊行することができた。

物語は、アメリカで亡くなったバスク人移民ダビの死とともに幕を開ける。彼のもとを訪れていた幼馴染みのヨシェバは、ダビの妻から、夫が書き残したというバスク語の回想録を手渡される。作家であるヨシェバは、故郷の村オババに帰ったあと、ダビの回想録に自分自身の記憶を補いながら加筆・編集し、二人の共著として出版することにする。そうして成立したとされるのが本書『アコーディオン弾きの息子』だ。

こうして架空の二人の作者が配されたこの小説は、しばらくはダビの語る故郷での懐かしくも痛ましい思い出を描き出していくが、やがて、二人の作者の過去に対する異なる視点や思惑、そして現実とフィクションのあいだで、最終部にかけて思いもよらぬ展開を見せる。大部の小説ではあるが、ぜひその展開を楽しみに、物語の流れに最後まで身を委ねてみてほしい。

（金子奈美）

Books
on
Books

# 18

## Other Voices, Other Places
## 英語圏以外の本特集2

今回巻頭エッセイを寄せてくださった多和田葉子さんの『献灯使』が、2018年に全米図書賞の翻訳文学部門を受賞したのは、記憶に新しい。この翻訳文学部門は、2018年に全米図書賞の五番目のカテゴリーとして新しく創設された。それまで小説のみだった対象にノンフィクションも加え、作家と翻訳家双方に、国籍を問わず贈られることになった。

イギリスのブッカー賞にも、2005年に翻訳作品部門が加わった。2016年には隔年から毎年に変更され、やはり作家と翻訳者の共同受賞となっている。こちらは、ハン・ガンの『菜食主義者』(韓国)やオルガ・トカルチュクの『逃亡派』(ポーランド)が受賞している。

インターネットで世界がつながって、英語の優位は揺るがなくなったように思えていたけれど、本当はどうなのだろう? アメリカ文学研究者の矢倉喬士さんが「英訳には漢字を使い、かつ、新しい英語を大胆に生み出すべし」という興味深い主張をしていた。そういえば、話題の中国SF『三体Ⅲ』の英訳版では登場人物の名前にアルファベットと漢字を使っている。これからも〝世界文学〟から目が離せない。

(三辺律子)

# 翻訳と詐欺

多和田葉子

先日、ある日本の銀行からこんなメールを受け取った。「親愛なるお客様、私たちが受け取る不正な取引の量が多いため、カード情報を確認し、このセキュリティシステム上で暗号化する必要があります。お客様の情報が提供され、確認されたら、お客様に電話します。」こんな日本語で人を騙せると思っている詐欺師は、翻訳とは何かについてもっと真剣に考えて欲しい。

確かに自動翻訳のソフトは驚くほど進歩したが、人間の行なう翻訳はちょうど旅先の街で通行人を観察し、その歩調、呼吸、コートの色、ためいきまでも記述し伝えるような精密な作業で人工頭脳にはまだ無理だ。

まず「親愛なるお客様」は英語などから直訳した典型的な例で、訳文と思って読めば自然だが、もし日本の銀行がそう書いてきたら「親愛」という贋の生暖かさが気持ち悪い。全体的に直訳調だが一番違和感があるのは「私たち」、つまり銀行側が不正事に巻き込まれて迷惑しているという気持ちが前面に出ていること。日本の銀行なら、「最近不正が増加し」など主語のない表現を選ぶだろう。日本でも企業が「私たち」という言葉を使うことがあるが、それは「私たちはお客様によりよい商品をお届けするため日々努力を重ねております」など宣伝を目的とした場合だけで、「私たちは最近不況で困っているので商品を値上げします」という「私たち」は決して文面に姿を見せない。
翻訳ソフトにはまだフィクションの街を現実の街と見間違えさせるほどの実力はない。それなら、それが翻訳であることを気づかれないのが理想の翻訳なのだろうか。もし詐欺が目的ならばそうかもしれないが、文学は詐欺ではない。わたしはすんなり読める翻訳よりむしろ、遠い言語から訳された形跡、文面の凹凸やほころびを感じさせてくれる訳文が好きだ。ごつごつした言葉でできた街を歩く楽しさ、謎の残る曖昧さ、保証のない危うさなどを味わうのも翻訳小説の街歩きならではの醍醐味ではないかと思う。

『星に仄めかされて』
多和田葉子 著
講談社
＊講談社文庫でも販売されています。

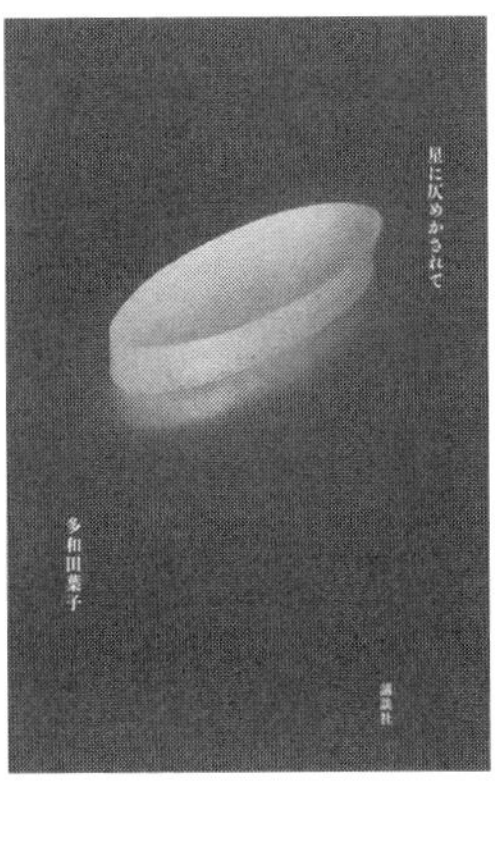

01

“La solitudine dei numeri primi”
Paolo Giordano

『素数たちの孤独』
パオロ・ジョルダーノ 著
飯田亮介 訳
ハヤカワepi文庫

主人公の男女はどちらも幼少時代の体験から心に大きな傷を負っている。彼女は脚が不自由で拒食症、彼は数学の天才だが自傷癖があり、揃って周囲になじむのが不得意なタイプだ。そんなふたりの出会いと成長を描き、２００８年にイタリア最高峰の文学賞を受賞したのが、この『素数たちの孤独』だ。

今回、久しぶりに読み返してみて、ふたりの思春期までが語られる序盤はこうも重い話であったかとやや打ちのめされた。もしかしたら読者のなかにはつらくて先が読めなくなってしまう人もいるのではないか。かつて自分も経験した覚えのある苦しみのいくつかが、それほどリアルに表現されていた。

ただし「過去の亡霊」と「結果の重み」に苦しみ続けた主人公にも、やがて静かな安寧の時が訪れる。未読の読者にも、その点は先に明かしてしまってもいい気がする。

そういう時がお前にもきっと来るから……あの頃の自分にそう言ってやれたらなと思う。そんな痛いけれど、優しくて、大切なひとに勧めたくなる物語だ。（飯田亮介）

02

*"Viki che voleva andare a scuola"*
Fabrizio Gatti

『ぼくたちは幽霊じゃない』

ファブリツィオ・ガッティ 著
関口英子 訳
岩波書店

ヴィキは7歳の時に、アルバニアからイタリアへ密航した。夜中に、妹のブルニルダとお母さんと、ぎゅうぎゅう詰めのゴムボートに乗って。途中、重量オーバーだったボートから、1人が〝減らされる〟。初っ端から、旅は想像を絶する過酷さだ。当然、ヴィキの頭のなかではいくつもの疑問符が渦巻く。「あの女の人が死んだこと、誰が家族に教えてあげるの？」「不法滞在ってなに？」。思わず怯んでしまいそうな質問に対して、まわりの大人たちは、はぐらかすことなく丁寧に言葉を返す。そんなヴィキたち家族の、切実な、それでいてユーモアや思いやりも忘れない会話によって紡がれる本書は、映画のダイアローグリストのように脳内で鮮明な映像を結ぶ。そうして私たち読者も、この世の中は、「正義」と「法律」が必ずしも一致するわけではないことに、ヴィキと一緒に気づいていくのだ。それはきっと、いままで他人事で済ませていた地球の不均衡に目を向け、私たちのすぐ隣にもいるはずの彼らの、「ぼくたちは幽霊じゃない」という心の叫びに耳を傾けることにつながるだろう。

（関口英子）

03

"Charlotte"
David Foenkinos

『シャルロッテ』
ダヴィド・フェンキノス 著
岩坂悦子 訳
白水社

アウシュヴィッツ強制収容所において26歳の若さで命を落とした、実在のユダヤ人画家シャルロッテ・ザロモン。物語はシャルロッテとおなじ名の叔母の自死から始まる。叔母も母親も、そしてその二人以前から連綿とつづいてきた自殺者の家系に生まれたシャルロッテ。そしてナチの台頭によって輝く場を奪われ、つねに影に覆われながら生きていく彼女の生きる糧はアルフレートへの愛と芸術だった。狂気と絶望に苛まれながら、彼女は全人生をかけて超大作『人生？それとも舞台？』を描ききる。７００枚にもおよぶ水彩画から成るこの作品は、アルフレートへの愛と生きる希望に満ちあふれている。

本作品は、作者が息継ぎをしながらでなければ書けなかったために、一行一文という文体で書かれている。読者も同様に息継ぎをしたくなる。悲劇に見舞われながらも生きることを諦めなかったシャルロッテの情熱に胸を打たれる。そして必ずや『人生？それとも舞台？』を生で見てみたくなるだろう。

（岩坂悦子）

04

*"La Plus Précieuse des Marchandises"*
Jean-Claude Grumberg

『神さまの貨物』
ジャン＝クロード・グランベール 著
河野万里子 訳
ポプラ社

「むかしむかし、大きな森に、貧しい木こりの夫婦が住んでいた」――物語は、そう始まる。だが木こりが日々おこなっているのは「侵略者たちが命令する土木工事の強制労働」。

著者グランベールは、今年82歳だ。戦争を生きのび、劇作家として6度もモリエール賞を受賞し、フランソワ・トリュフォー監督の最大のヒット作といわれる映画「終電車」では、台詞作家としても活躍した。そんな大ベテランが、おそらく人生の終わりも見すえて「これだけはどうしても」という強い思いで書いたのが、この本では、という気がする。短くも迫力ある物語の、洒脱な語り口に、詩のようなリズムに、やさしいおとぎ話と胸を衝くルポルタージュを融合させたような見事な構成に、老作家の才気と、気骨と、覚悟のようなものを、訳出中ずっと感じていた。そして最後に、彼はこう語りかけるのだ。「ただ一つ存在に値するもの――実際の人生でも物語のなかでも、ほんとうにあってほしいもの、それは、」と。

その先の言葉を、ぜひ受けとって、ささやかでも明日へ向かう力の一端にしていただけたらと願っている。

（河野万里子）

05

『보건교사 안은영』
정세랑

『保健室のアン・ウニョン先生』
チョン・セラン 著
斎藤真理子 訳
亜紀書房

韓国の小説は、まず名前が覚えられなーいとよく言われます。確かに、主人公の保健室の先生がアン・ウニョン、相手役の漢文の先生がホン・インピョ……となるとなかなか覚えられないかもしれませんね。覚えられないなーと思ったら、アン・ウニョン、アン・ウニョン、アン・ウニョンとペンで3回、紙に書いてみるといいですよ。ちょっとだけ早く脳に定着する気がします。

この小説、学園もののエンタメで、超能力もので、ついでに先生どうしのラブストーリーでもあります。そして10代の人たちに手渡したい「志」がぎゅっと詰まってます。そんなにいっぺんにできるの?と思うかもしれませんが、著者チョン・セランさんはそういうのが大のお得意。おもちゃの銃とレインボーカラーの剣を持って、生徒たちを世の邪悪なるものから守るために戦うアン・ウニョン先生は、まっすぐでお茶目で、頼もしさいっぱい。同僚の歴史の先生がつぶやく一言「後から来る者たちはいつだって、ずっと賢いんだ」が、本書の世界観を代表しています。

(斎藤真理子)

06

『옆집의 영희 씨』
정소연

## 『となりのヨンヒさん』

チョン・ソヨン 著
吉川凪 訳
集英社

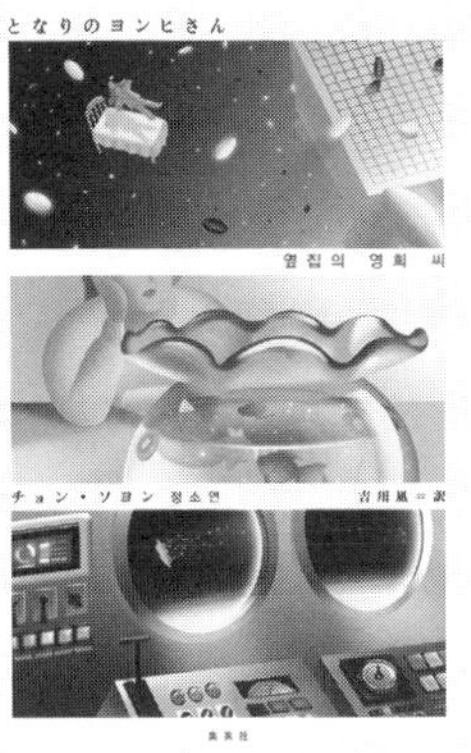


韓国にSFはない。と思われていた。つい数年前までは。従来、韓国においてSFは純文学よりワンランク下のジャンルとして扱われていて作家も少なかった。潮目が変わったのは「韓国SF小説作家連帯」が発足した2017年頃だ。その初代代表を務めたチョン・ソヨンは、若いけれど韓国SF界のリーダー格と言えよう。翻訳家でもあり、現役の弁護士でもある。その他にも若い作家たちが続々と現れ、今やSFは韓国文学の中でも注目される分野となった。『となりのヨンヒさん』は日本で初めて出版された韓国のSF短篇集だ。ジェンダー、異文化との共生など身近な問題を宇宙や別の時空間に投影しつつユーモラスに展開する作品は、とても親しみやすい。表題作は、若い女性がガマガエルみたいなエイリアンと心を通わせる話。「最初ではないことを」では、活躍の場を求めて中国に留学した女性が正体不明の流行病にかかる。SARSの流行をヒントにしたものだろうが、当局が情報を統制するところなど、新型コロナを予告しているようにも見えて不気味だ。（吉川凪）

07

*"La historia de mis dientes"*
Valeria Luiselli

『俺の歯の話』
バレリア・ルイセリ 著
松本健二 訳
白水社

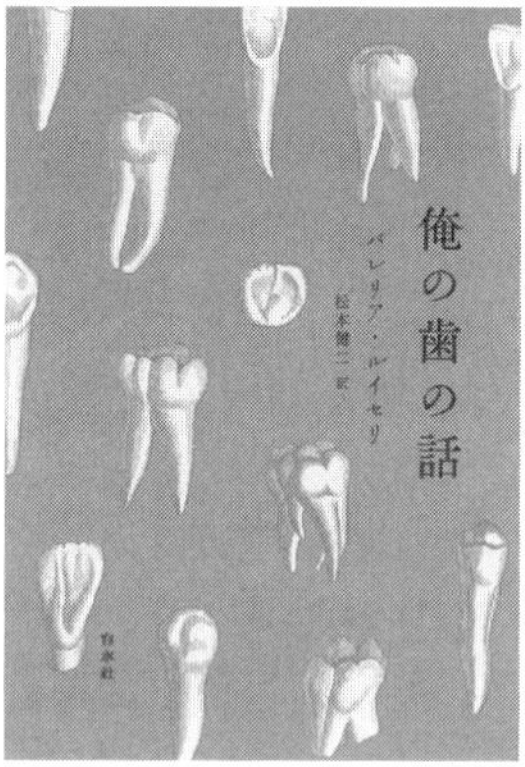


インチキ臭いメキシコのオジサンが明らかに大法螺っぽい語りを展開するヘンテコな小説。子どものころから身の回りにあるものをコレクションしてきたオジサンは集めたモノをリサイクル、つまりモノに物語という付加価値をつけてオークションで売りさばく。このオジサンは、言葉ひとつで誰も見たことのない世界をでっちあげる、そう、文学の権化のような人。

本書は方々に奇妙な穴が開いている。名付け行為を考察してきた哲学者へと続く穴、メキシコのジュース工場へとつながる穴、世界の現代アートへ誘う穴。さらには奇妙な写真や英訳者による年表まで。オジサンの話を聞いているうち、気づくとまるで違う世界に拉致されている小説なのだ。

書いたバレリア・ルイセリはメキシコ生まれ、米国在住の二言語作家。最初スペイン語で書かれた本書は、アメリカ人翻訳者とルイセリ自身の手で大幅に改訳・加筆された。日本語版では、まずスペイン語版を訳し、それをベースに英語版を再度訳すという面倒なことをしています。

（松本健二）

08

*"Frida Kahlo: Una biografía"*
María Hesse

『わたしはフリーダ・カーロ
絵でたどるその人生』
マリア・ヘッセ 著
宇野和美 訳
花伝社

「わたしはわたし自身を描く。わたしが一番よく知っているのはわたしだから」という言葉のとおり、フリーダ・カーロは多くの自画像を残した。太い眉、まっすぐ前を見つめる目、色鮮やかな民族衣装やグロテスクな細部にドキリとさせられる自画像だ。

脊柱の病とバス事故で負った重傷により、一生を通して身体的な痛みにさいなまれ、メキシコの国民的画家ディエゴ・リベラとのままならぬ恋愛と結婚生活に苦悩しつつ、自分を貫き、芸術で世界を驚かせ、人々を魅了したフリーダ。本書はそんなフリーダの人生を絵でたどった伝記だ。注目すべきは、作者マリア・ヘッセが、フリーダの作品や日記、評伝から、フリーダの声を引き出し、一人称で語っていること。フリーダらしいディテールを満載した、清々しくチャーミングな絵のおかげで親しみやすく、しかも読みごたえがある。

1907年生まれ(あの石井桃子さんと同じ!)のフリーダが、フェミニズムのアイコンとして、なぜ今もここまで注目されるのか、この本を読むと納得がいくにちがいない。

(宇野和美)

09

"Teoria Geral do Esquecimento"
José Eduardo Agualusa

# 『忘却についての一般論』

ジョゼ・エドゥアルド・アグアルーザ 著
木下眞穂 訳
白水社

日本では馴染みの薄いアンゴラの近代史を背景にした小説、さらにこの硬めのタイトルとあって、手に取るのをためらう人もいるかもしれない。いや、そこはご心配なく、と声を大にして言いたい。なにしろ物語の面白さは頭抜けている。読み始めたら瞬く間に虜になること請け合いなのだ。

アンゴラ独立戦争が始まり、襲撃に怯えた主人公の女性ルドは、マンションの自宅玄関前をセメントで固めて籠城生活を始める。備蓄もあるし屋上テラスもあるので、そこで畑を作り水を貯めれば当座はしのげるはずだったが、結局、戦争は27年も続き、ルドもその歳月を自給自足で生き抜くのである。

そのルドの孤独な生活を軸に、花壇に埋まる死体、ダイヤを呑みこんだ鳩、踊るカバ、棺桶に入って脱獄する政治犯など、外の世界の賑やかで多彩なエピソードがふんだんに語られる。

忘却しない人、したいけどできない人、忘却されない人、されることを願う人。

人の縁の不思議を余すことなく描いた温かな作品だ。

（木下眞穂）

10

“פיצריה קמיקזה”
אתגר קרת
אסף חנוכה

『ピッツェリア・カミカゼ』
エトガル・ケレット 著
アサフ・ハヌカ 絵
母袋夏生 訳
河出書房新社

現実世界とパラレルな、自殺者だけが行きつく世界がある。そこのピッツェリアで働いている男は、かつての恋人が来たと知って、彼女を捜す旅にでる。自分に会いたくて自殺したと思ってのことで、兵役不適応者の友人が同行する。旅の途中、手違いで送り込まれたから元の世界に戻してもらいたい、という美女も加わる。

人はなぜ死ぬのか、死を選ぶのか、選ばざるを得ないのか。自殺の要因はさまざまだが、糾弾はしない。自殺者の死後の世界もシュールで、もの哀しくて、だが、爽やかだ。

フランスで修業していたアサフ・ハヌカがエトガル・ケレットの中編「クネレルのサマーキャンプ」にいたく共感し、作家にコラボを申し込んでグラフィック・ノベルができた。ヘブライ語版に続いて英語版が出ると、映画に翻案された。ちなみに、ハヌカが双子の兄と共同制作した“Le Devin”は2016年に日本国際漫画賞を受賞している。もひとつちなみに、SF的サマーキャンプの主クネレルが飼っているのは、原作では犬、本書では猫。犬も猫も重要な役目を担っているが、食い意地も張っているのがいい。

（母袋夏生）

## 11

“*Prawiek i inne czasy*”
Olga Tokarczuk

『プラヴィエクとそのほかの時代』
オルガ・トカルチュク 著
小椋 彩 訳
松籟社

四方を天使に護られた、ポーランド南西部の架空の村プラヴィエク。三世代にわたる家族を中心に、村とその周辺の日常が綴られている。

20世紀のポーランド。じつにいろいろな出来事があった。二つの世界大戦。ナチス・ドイツの侵攻。社会主義国としてソ連の傘下に入ったこと。「連帯」を中心にした民主化運動と、資本主義への体制転換、などなど。こういう「政治」や「歴史」の力は圧倒的で、村人の生活にも容赦なく介入してくる。

しかしそれにもかかわらず、語りの中心にあるのは、食べて、寝て、恋をする。生まれて、育ち、老いて、死ぬ。平凡な人間の日常そのものだ。だからこの物語は、いまの日本に生きている、わたしたちにとってもなつかしい。英雄は登場しない。でも、どこかにいそうなだれかの人生は、ひとつとしておなじものがなく、ありふれて見える毎日こそ、じつは神秘や奇跡ととなりあわせだ。

そんなことに気づかせてくれる、淡々とした川の流れみたいなこの物語を読み終わったとき、じぶんをとりまくいつもの世界が、すこしちがって見えてくる。（小椋 彩）

12

"Трагический зверинец"
Тридцать три урода
Лидия Зиновьева-Аннибал

『悲劇的な動物園
三十三の歪んだ肖像』
リジヤ・ジノヴィエワ=アンニバル 著
田辺佐保子 訳
群像社

兄さんたちの狩猟土産の子ぐまや鶴の子を友達にして遊んだり、ろばに馬車を引かせてイキがって乗り回したり、残酷な狩りで深手を負い苦しむ狼を目の当たりにして、思わず咆哮を発したり。田舎で知るさまざまな動物たちとの付き合いは、ヴェーラの最大の喜びだが、最大の悲しみもついて回る。生き物はみんな死んでしまうから。貴族の令嬢だというのに、ヴェーラはお転婆で利かん気の野性児。一家の鬼っ子で、することなすこと桁外れで危なっかしい。

でも農民の少女に胸ときめかせば、あまりに貧しい境遇に世の中の仕組みを疑い、親戚づきあいに加われば、大人の世界の不純さに憤る。反抗心や怒りをつのらせて、何でもしたい放題の問題児となったヴェーラは家庭教師に見放され、学校教師に持て余されてとうとう放校に。悲しみを乗り越え、広い世界へと高く大きく羽ばたく、革命前のロシアの輝かしい少女時代は、読み応え満点です。

(田辺佐保子)

13

*"Chen tumeen x chu'ipen / Sólo por ser mujer"*
Sol Ceh Moo

## 『女であるだけで』

ソル・ケー・モオ 著
吉田栄人 訳
国書刊行会

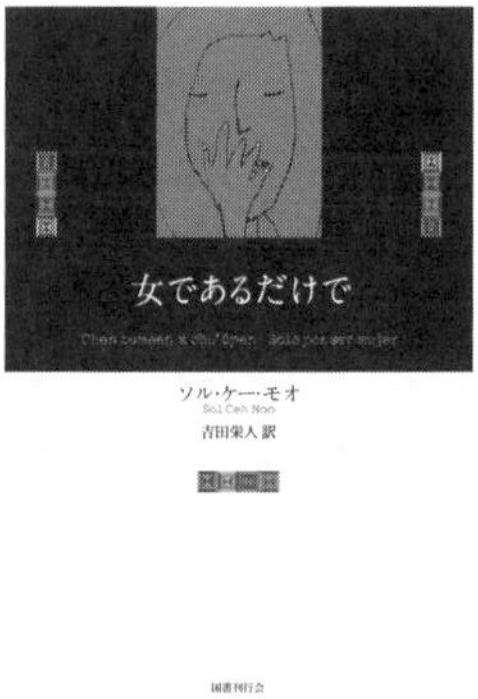


現代マヤ語で書かれたこの小説はオノリーナが恩赦を受けて出所するところから始まり、彼女が夫殺しの罪で服役することになる経緯が複数の視点で語られていきます。発端は彼女が先住民の女性として生まれたことにあると言っても過言ではありません。先住民の貧しい家に生まれたがゆえに、とてつもない暴力を振るうフロレンシオに売られてしまったオノリーナは、先住民でなければ、また女でなければ、決して陥ることのない不幸に嵌まり込んでいきます。出所後の記者会見の席で自分の不幸を言葉にできた彼女は、刑務所の中にいた方がよかったとさえ思います。それでも最後は、同志として自分のそばにいて欲しいと言う弁護士デリアの誘いを断って生まれ故郷へ帰っていきます。本書が目指すフェミニズムは、夫の命令に背けない気の弱いオノリーナのような女性を独り立ちさせることにあるのでしょう。一方で、彼女に「罪」を犯させる最大の悪であるフロレンシオが彼女の手によって、この世に呪われたる者の不幸から解放されることも、先住民にとってのフェミニズムを理解する上で非常に重要な点であることをどうぞお見逃しなく。

（吉田栄人）

14

"Seher"
Selahattin Demirtaş

『セヘルが見なかった夜明け』
セラハッティン・デミルタシュ 著
鈴木麻矢 訳
早川書房

人は皆、自分を中心とする同心円のなかで生きている。一般的に、地理的距離が遠ければ心理的距離も遠い。同居の家族の死は遠くの親戚の死よりも悲しいし、自国で起きた事件にこそ人々は震撼する。

自分中心であること――、これは合理的な遠近感覚である。世界は理不尽で、余りにも多くの苦しみと悲しみに満ちているから、個々の人間がすべてを背負うことはできない。我々は一層自分本位になり、鈍感になって、傷つきやすい自分の心を守るほかはない。

だが、稀にこの堅固な同心円を切り裂いて、遠い叫びが心に刺さることがある。例えばトルコの荒野で「名誉殺人」の犠牲になった少女セヘルの悲鳴。時空を超えて、それは確かに我々に届く。或いは「彼ら」と同じく、我々もまたこの夜明けを待っていたのではないだろうか？ あの中東、別世界の人々と心通じるこの奇跡の瞬間を。日常的合理性に基づく遠近感覚を超えた、魂の呼応を。

獄中の政治家がトルコを舞台にトルコ語で紡ぐ物語は、刑務所の塀のみならず、国境も言語も人種も時代をも自由に超え、普遍の愛を世界に呼び覚ます。 （鈴木麻矢）

15

『气球』
万玛才旦

## 『風船 ペマ・ツェテン作品集』

ペマ・ツェテン 著
大川謙作 訳
春陽堂書店

本書はチベットを代表する映画監督であると同時に、チベット語と中国語で執筆するバイリンガル作家ペマ・ツェテンの短編作品集です。

我々がチベットと聞いてまず思い浮かべるのは仏教、ダライ・ラマ、それから民族問題といったところが多いかもしれません。他方、こうした政治や宗教といった大きな物語からこぼれおちてしまう現実も存在していて、それはチベットの普通の人々が生きる日常やその中で抱える葛藤や想いなのですが、チベットの現代文学はそうした市井の人々の日常や想いを活写することに成功している数少ないジャンルです。例えば表題作の「風船」は牧畜民の生活を細やかに描写しながら、性と生殖を主題として、羊と人間の関わりを通じて現代チベット女性の苦悩を描いています。また「マニ石を静かに刻む」は夢を通じて生者と死者が交流するというチベットの伝統を踏まえた絶品の幻想小説になっています。その他、どの作品も、会話が多用されるテンポのよい文章が印象的な一冊です。

読書を通じて、知らない世界へ旅をしてみたいみなさんに、ぜひ！

（大川謙作）

16

فرانكشتاين في بغداد
أحمد سعداوي

『バグダードのフランケンシュタイン』
アフマド・サアダーウィー 著
柳谷あゆみ 訳
集英社

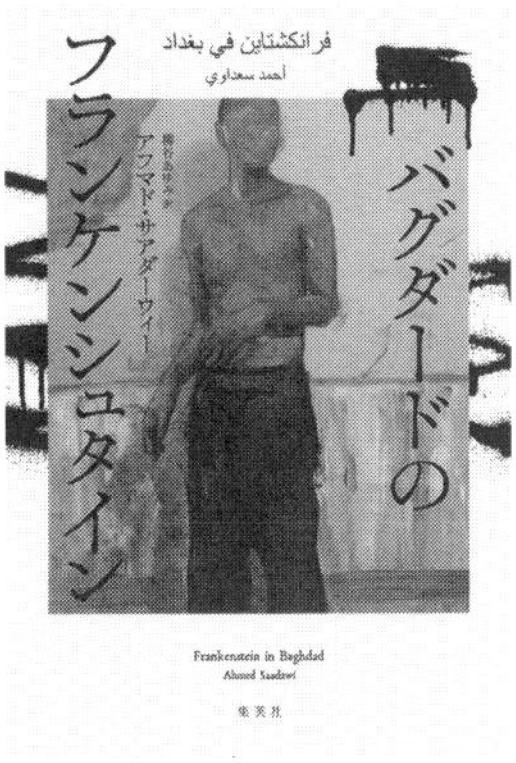


2005年、イラクの首都バグダード。前政権崩壊後の政情不安により自爆テロが頻発するなか、一人の古物屋が、肉片になり果てた死者たちの尊厳を取り戻すため、犠牲者の肉体を集めて一体分の遺体を作り上げた。翌日、遺体は姿を消し、不死身の怪物「名無しさん」として殺人を重ねていくようになる。

あまたの肉体の寄せ集めであり、肉体の腐敗と崩落が進むたび新たな部位を付け替えていく「名無しさん」は、個人としての顔も本質も持たない。だが躍動する「名無しさん」を知ったバグダードの住民は、彼に自らのさまざまな願いや欲望を投影していく。

「名無しさん」はめまぐるしい変化を重ねるバグダードの縮図であり、第一次世界大戦後、寄せ集め的に建国されたイラクを象徴する存在と言えるだろう。本書は凄惨な現実に裏打ちされた「名無しさん」の謎に直面する2005年バグダードの物語、そして喪失や悲しみ、絶え間ない死の恐怖を抱えながら、なおも踏み越えて力を得ようとする人々の混沌を描いた群像劇である。

（柳谷あゆみ）

# 19

## Fat but/and Fun　分厚い本特集

短編が好きだ。ガルシア・マルケスの「美しい水死人」を読んだときは、わっ、こんなものを読んでしまって、これからどうすればいいんだろうと思ったくらいだ。中編も好きだ。ちょうどサリンジャーの「逆さまの森（The Inverted Forest）」を訳し終えたところなのだが、サリンジャーって、その気になればこんなにおもしろい作品を書けるんだと驚いてしまった。

そして、長編小説が好きだ。とくに高校・大学の頃に読んだヨーロッパ、アメリカの長い小説はいまでもよく覚えている……のはタイトルと作者名くらいで、内容はかなりあいまいなのだが、読み終えたときの、あのなんともいえない飢餓感は忘れられない。決して満足感ではなかった。もっと読みたい、という飢餓感だった。長い小説は、基本、おもしろい。おもしろくなかったら、枕本、弁当箱本、鈍器本の類いは出版されないのだ。だから読後、そのおもしろさが終わってしまった、という残念な気持ちが必ず残る。

そんな長編小説の特集を組んでみました。どれも分厚い、あるいは数巻におよぶ本ばかりですが、自信を持ってお勧めします。

（金原瑞人）

# 分厚い本

桜庭一樹

高校受験の日から合格発表まで四日ほどあり、その間ずっと不安だった。落ちてるような気がしてならなかったからだ。〝分厚い本〟と聞いて反射的に思いだすのは未だにあの四日間のことで、わたしは図書館で借りてきた『風とともに去りぬ』を読み続けることでなんとか乗り切った。長い小説だったし、比類なく面白かったから、没頭できた。時間があっというまに過ぎるようでいて、いつまでも物語が終わらないようでもあるという、不思議な経験だった。

――人生には〝分厚い本〟が絶対的に必要になるタイミングがある。

そして時は流れ、四十代になった。ある先輩作家が「青春時代に読んだ古典小説を四十歳で再読する」ことをお勧めするエッセイを読み、心惹かれはしたものの、目先の忙しさにかまけてずるずる後回しにしていた。四十五歳のとき、体を壊し、小説執筆が不可能になった。同時に新聞で海外古典小説を紹介する短いコラムの連載を始めた。『武器よさらば』『アブサロム、アブサロム！』『白鯨』『ボヴァリー夫人』『冷血』『レ・ミゼラブル』『ゴリオ爺さん』『モンテ・クリスト伯』『怒りの葡萄』……。これらを約一ヶ月ずつかけてゆっくり読んだ。読みかけの長編小説が常に傍にあることが幸せだった。苦しいとき、本が寄り添い、語りかけ、芸術の永遠性を信じさせてくれた。

三年後、体力が回復し、小説執筆に復帰した。手塚治虫先生が残された「火の鳥」シリーズのシノプシスを元にしたアナザーストーリー『小説 火の鳥 大地編』の新聞連載を始めた。大河小説を構築するにあたり、古典を再読した経験が役立ったように思う。

人生のタイミングとして〝分厚い本〟を必要としている誰かの手に、自分が書いた長編作品も届き、何かを語りかけることができたらな……。そこに作家としての幸福があるといま強く思っている。

『小説 火の鳥 大地編』
(上・下巻)
桜庭一樹 著
手塚治虫 原案
朝日新聞出版

01

『三体』『三体Ⅱ 黒暗森林』『三体Ⅲ 死神永生』 刘慈欣

## 『三体』『三体Ⅱ 黒暗森林』（上・下巻）『三体Ⅲ 死神永生』（上・下巻）

劉慈欣 著
大森 望ほか 訳
早川書房

翻訳を依頼されたときは正直けっこう悩みました。なにしろ相手は全世界で3部作累計2900万部の超絶ベストセラー。ケン・リュウが英訳した第1作『三体』は、英語以外で書かれた作品として初めてヒューゴー賞を受賞し、世界SFの歴史を変えた。それより何より、私は英日翻訳が専門で、中国語は大学1年のとき一瞬齧っただけ。にもかかわらず仕事を受けたのは、三部作が超面白いガチガチの本格SFで、作者が同年代のSFファンだったから。読んでいると、ここはクラーク、これはアシモフ、おお、このへんは小松左京……といちいちわかる。この21世紀に、黄金時代のSFに正面から挑戦する蛮勇はすばらしい。中国語はわからなくても、SFは40年翻訳してきたから、中国語がわかる人と組めば訳せるんじゃないか。というわけで、2年近い歳月を投じて訳し終えたのが、『三体』三部作の5冊（ⅡとⅢが上下巻なので）、計2000ページ弱。ようやく終わったと思ったら、劉慈欣短篇集や単発長篇が浮上し、まだ当分、中国SFの大海を抜けられそうにありません。

（大森 望）

02

Время секонд хэнд
Светлана Алексиевич

『セカンドハンドの時代
「赤い国」を生きた人びと』
スヴェトラーナ・
アレクシエーヴィチ 著
松本妙子 訳
岩波書店

辞典ではないかと見まがうほどの分厚さ。確かに辞典だ。人間の真実を知る辞典。時代と国の枠を超えた普遍の証言集。ソ連邦を生きた親世代、ソ連邦崩壊後を生きる子世代、それぞれの挫折と葛藤、希望と失望、愛と苦悩。時代に必要とされない失意と無力感。クレムリン内で自死した孤高のソ連邦元帥。生き埋めにされた穴から這いでたユダヤ系の少年。赤貧の叔母夫婦に愛されて育つ少女。チェチェンに派遣され棺で帰宅した娘、地下鉄テロで負傷した大学生、夫と子どもを捨て終身刑の囚人と結婚する女性、首都の地下で暮らす外国人出稼ぎ労働者、などなど。一人ひとりの小さくて大きな物語。行間から立ちのぼるのは壮大な人間讃歌。晴れやかに響きわたるのでなく、BGMのごとく最後のページまでゆるゆると低く流れるメロディー。かくも弱き者、かくも愛しき者、人間なり、と。

持ち歩くには少々筋力を要するが、ぱっと開いてその前後のページから読み進めるのもまたよし。寝る前に布団の中で読むと、「重たい本がどさっと顔に落ちてきて痛い」んだとか。お気をつけあれ。

（松本妙子）

## 03

"*Gone With the Wind*"
Margaret Mitchell

# 『風と共に去りぬ』（全6巻）

マーガレット・ミッチェル 著
荒 このみ 訳
岩波文庫

この作品は、作者ミッチェルの生きた20世紀前半の南部という条件抜きには読めない。「あとにも先にもこの時代ほど女に備わる自然な資質を低く見積もっていた時代はなかった」（第5章）と地の文にさりげなく挿入されている言葉は、19世紀半ばを指すとともに、ミッチェルの時代のアメリカを示唆している。旧訳で育ち感動した世代だが、作者のこの根底の思想と南部の精神に注意を払いながら、文体に忠実に訳そうと努力した。特に旧訳のレット・バトラーの言葉遣いに違和感を覚える場面があり、勘当されたもののチャールストンの上流階級の出身で教養・知識の深い人物であることを忘れないようにした。ラヴ・ロマンスの印象が強いが、この大作には実に大掛かりにアメリカの歴史事項がさまざまに織り込まれている。南北戦争や奴隷制度のみならず、タラ農園と先住民インディアンの関係、主人公の父親の政治亡命と英国のアイルランド弾圧、母親とハイチの黒人革命など。翻訳では説明しきれない背景を各巻末に解説を付けることにより、深い読書の助けになるように努めた。

（荒 このみ）

04

*"White Crane, Lend Me Your Wings : A Tibetan Tale of Love and War"*
Tsewang Yishey Pemba

『白い鶴よ、翼を貸しておくれ
チベットの愛と戦いの物語』
ツェワン・イシェ・ペンバ 著
星泉 訳
書肆侃侃房

20世紀前半の激動の東チベットを生きた人びとの姿を描いた歴史大河小説です。著者ペンバは幼い頃よりチベット語圏と英語圏を行き来した経験から、異文化の衝突にとりわけ深い関心を寄せてきました。そんな著者の遺作となったこの物語は、若いアメリカ人宣教師夫妻が「未開の土地」チベットにキリスト教を根づかせようと山奥のとある村に乗り込むところから始まります。物語は異なる信念をもった者同士のぶつかり合いの連続で、ハラハラドキドキ心休まる暇もなく展開していきます。アメリカ人とチベット人、キリスト教者と仏教者、そして共産主義者といった異なる立場の人びとの、それぞれの人生が浮かび上がるような対話のシーンは圧巻です。宣教師の息子ポールと領主の息子テンガのヒリヒリとした青春物語も読みごたえたっぷり。胸が熱くなること請け合いです。チベットのことを知らない若い人に特におすすめしたい作品です。　（星泉）

05

*"Die schwarzen Brüder"*
Lisa Tetzner

『黒い兄弟』（上・下巻）
リザ・テツナー 著
酒寄進一 訳
あすなろ書房

『黒い兄弟』が出版されたのは1941年、ナチに追われたリザ・テツナーがスイスに亡命中に書いた作品だ。テッナーは「グリム童話」の語り部としても知られた児童文学作家だ。逆境の中でも希望を捨てない登場人物、仲間との友情と勇気などを描いたまさに児童文学の王道ともいえる作品に仕上がっている。

物語は19世紀にスイスで本当に起きた出来事がもとになっている。貧困にあえぐスイス山間部の農民たちは年季奉公の名のもとにミラノの煙突掃除夫に子どもを売っていた。湖上での遭難、素手で煙突にもぐらなければならない過酷な労働、町の子どもたちによるいじめ。そして逃避行。波瀾万丈の物語がみなさんを待っている。主人公ジョルジョの無二の親友アルフレドの隠された過去も胸を打つだろう。前半で描写されるスイスの荒々しいながらも美しい自然、後半にあらわれる援助者と子どもたちの交流からも目が離せない。

1995年に『世界名作劇場』で放映されたアニメ「ロミオの青い空」の原作だ。

（酒寄進一）

06

“*White Teeth*”
Zadie Smith
『ホワイト・ティース』（上・下巻）
ゼイディー・スミス 著
小竹由美子 訳
中公文庫

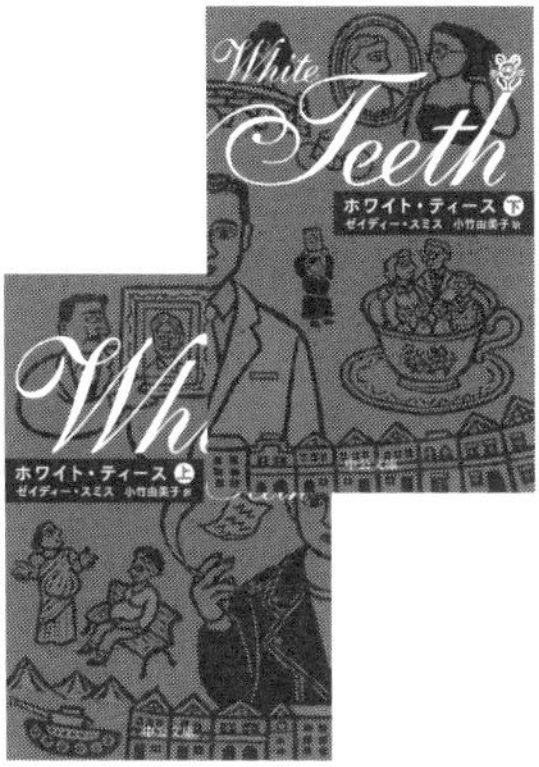


今世紀初頭に英語圏で話題となり、今でもよく読まれている本書には、人の移動が地球規模で盛んになった現代社会がぎゅっと詰め込まれています。20世紀末のロンドン北西部に暮らす、第二次大戦以来の親友同士である労働者階級出身で優柔不断なイギリス人アーチーと学識ある誇り高いベンガル人サマード、二人の家族（アーチーの妻はジャマイカ系で娘が一人、サマードの妻は同国人で双子の息子）のルーツと現在を、時空を縦横無尽に往来して、可笑しみに溢れた弾む文体で綴ります。後半ではリベラルな学者一家も絡み、歴史や伝統や民族のアイデンティティ、遺伝子工学に過激な動物愛護思想に宗教、様々な思想信条や価値観がぶつかりあって軋みを上げることに。野放図に広がった物語は、主要登場人物全員が一堂に会したところで、え⁉ と魂消る見事さで、未来への明るい希望をたたえて幕を閉じます。分断ばかりが目に付く現在、「みんながなんとなく仲良くいっしょに」暮らしていけないものかというアーチーの素朴な思いが光る本書を、ぜひ読んでみてください。

（小竹由美子）

07

*"Scat"* Carl Hiaasen

『スキャット』

カール・ハイアセン 著

千葉茂樹 訳

理論社

この原稿の依頼を受けて、10数年ぶりに手に取ってみました。お恥ずかしい話ですが、自分が訳したからといって、いつまでもその内容をくわしく覚えていられるわけではありません。で、紹介のとっかかりをと冒頭から読みはじめたら、なんだ、おもしろいぞ！　ページを繰る手が止まらないじゃないか！　意地悪な教師と、札付きの悪ガキが対決する冒頭から、謎が謎を呼ぶ展開がつづき、ハイアセンのトレードマークでもある、奇人変人が続々登場。随所にちりばめられたプッと噴き出すジョーク。子どもたちの手に、絶滅危惧種のフロリダ・パンサーの運命まで委ねられて……。結局、500ページ弱、一読者になりきって最後まで一気読み。

こんなにおもしろいのに、版元に確認したところ、オトナの事情で重版の予定はなく、在庫も極僅少とのこと。あとは図書館や古書店で探していただくしかないのですが、できることなら、復刊しようという奇特な出版社さん、ないですかねえ。

その際には、おなじハイアセン著の『HOOT ホー』『FLUSH フラッシュ』もよろしく！

（千葉茂樹）

## 08

*"The Tale of Genji"*
紫式部／A Waley

# 『源氏物語 A・ウェイリー版』（全4巻）

紫式部 著
A・ウェイリー 英訳
毬矢まりえ／森山恵 姉妹 訳
左右社

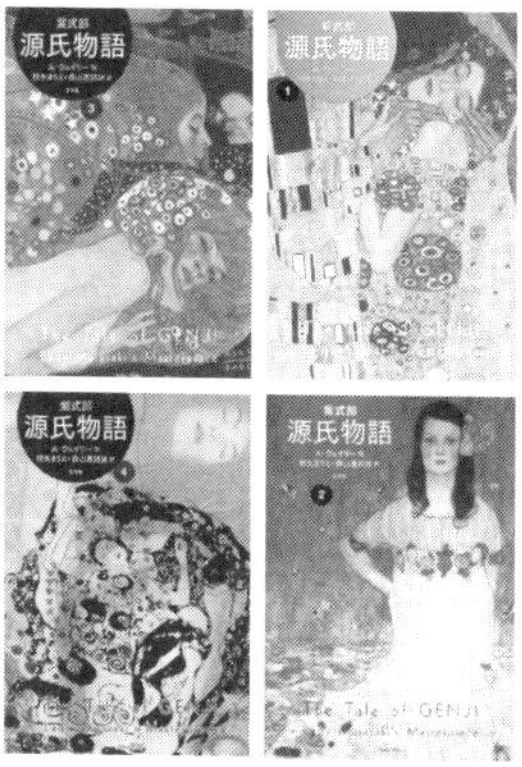


「いつの時代のことでしたか、あるエンペラーの宮廷での物語でございます」。

いまから約百年前、『源氏物語』はイギリス人の東洋学者、アーサー・ウェイリーによってはじめて英語全訳されました。いわば「ヴィクトリアン源氏」。エンペラー、光源氏や貴公子らはパレスから馬車で恋人のもとへ駆けつけ、ワインを片手に愛の詩を交わし、姫君はドレスを纏ってシターンやリュートをかき鳴らします。どこか見知らぬ宮廷の物語のよう。

翻訳しながら、私たちの脳内には古今東西の風景が駆け巡りました。平安時代の作品とともにシェイクスピア、ディケンズ、オースティン、プルースト、白楽天の漢詩なども響きます。世界文学の誕生です。読者にもイメージが重層的に膨らむよう、古語にカタカナのルビをふったり、人物名をカタカナ表記にしたりと訳語を工夫しました。

ウェイリー源氏では、だれもが個性的で躍動しています。深い心理描写にも目を見張ります。いつか『源氏物語』を完読したかった方、新たな源氏に出会いたい方、翻訳文学が好きな方。シャイニング・プリンス・ゲンジの物語を楽しんでいただけますように！

（毬矢まりえ・森山 恵）

09

Война и мир
Л. Н. Толстой

# 『戦争と平和』（全6巻）

トルストイ 著
望月哲男 訳
光文社古典新訳文庫

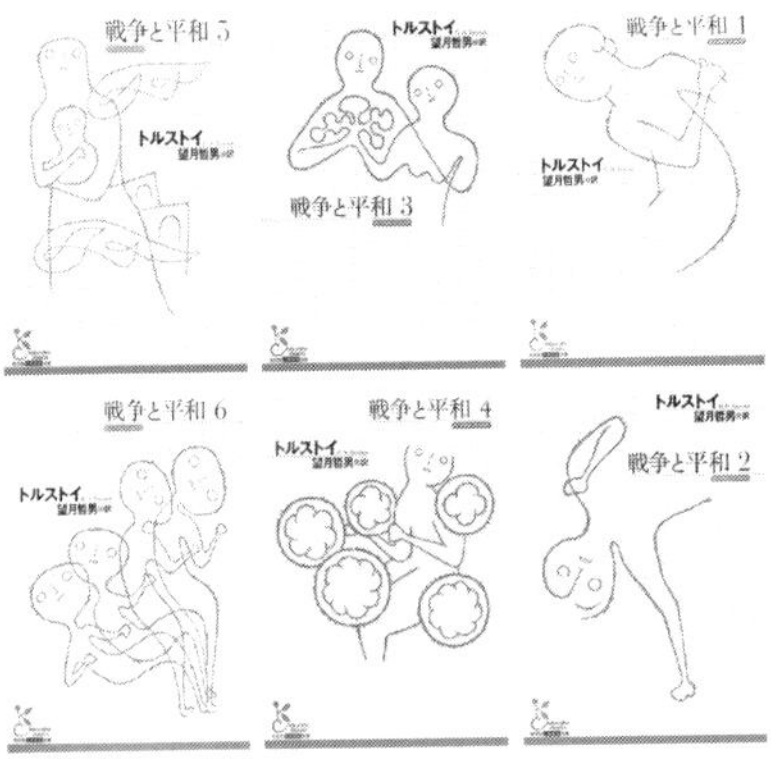


俺、ニコライ。モスクワの伯爵家の長男だ。親は大学から官界に行かせたかったようだが、国がナポレオンと戦うって時に勉強なんかと思い、軍に入った。はじめは大変だったさ。上官とぶつかるわ、いきなり負傷するわでね。でも、慣れると軍隊ほど気楽な所はないな。あれこれ考えなくても仕事は決まっているし、おまけに戦闘は、俺の好きな猟にそっくり。ちょこまかせずにじっとしていて、ここぞという時にさっと動けばいいんだから。

仏軍が攻め込んできた時はさすがに焦ったけれど、偵察先で偶然今の女房を助けたり、いろいろ冒険も味わったよ。逃げる敵を追ってパリまで行ったが、父が死んだっていうんで戻ってきた。火の車だった家計を、最近やっと立て直したところさ。

「世界一偉大な小説」だって？　小説にもナポレオン級とかクトゥーゾフ級とかあるのかい？　まあ、にぎやかなのは確かだ。何をしでかすか知れない妹のナターシャやら、変人ぞろいのその彼氏たちやら、喋りだしたら止まらない作者やら、やばい連中がうようよいるからね。

退屈はしない。請け合うよ。

（望月哲男）

10

*"1 L'amica geniale"*
*"2 Storia del nuovo cognome"*
*"3 Storia di chi fugge e di chi resta"*
*"4 Storia della bambina perduta"*
Elena Ferrante

**『ナポリの物語 1 リラとわたし』**
**『ナポリの物語 2 新しい名字』**
**『ナポリの物語 3 逃れる者と留まる者』**
**『ナポリの物語 4 失われた女の子』**
（全4巻）
エレナ・フェッランテ 著
飯田亮介 訳
早川書房

いったん完全に記憶を失ってから、また読み返したい。そう思いたくなる小説というものがある。世界的ベストセラーとなったこの『ナポリの物語』もそんな作品だ。

1944年にナポリの貧しい地区で生まれたリラとエレナ。リラは天才少女、エレナはリラの才能に憧れ、彼女に負けまいと必死で努力を重ねる頑張り屋だ。この四部作ではそんなふたりの女性の60年余に及ぶ友情と波乱万丈なふたつの人生が描かれている。

物語は2010年、66歳のリラが不意に行方をくらませる場面から始まる。幼い頃の夢をかなえ、有名作家となっていたエレナは、ふたりの出会いから現在にいたるまでの歩みを克明に記し始める。それはかつてリラに「絶対に書かないでくれ」と言われていた物語だった。大切な約束を破れば、リラが怒って、また姿を見せてくれるのではないか。それがエレナの狙いだった。

そうして語られるふたりの物語を読みながら、読者はエレナとともに無数の疑問を抱き、「何故?」と問い続けることになるはずだ。そして、4巻のあのあたりできっと……。

（飯田亮介）

11

"Der Weltensammler"
Ilija Trojanow

『世界収集家』
イリヤ・トロヤノフ 著
浅井晶子 訳
早川書房

バローダの湿気と香り、シンドの砂、カイロの隊商宿の喧騒、メッカに響く祈りの声、アフリカの太陽と風——世界のさまざまな顔が、五感に直接訴えかけてくる、さながら万華鏡のような物語だ。

『世界収集家』は、『アラビアン・ナイト』や『カーマストラ』の翻訳者として名高いイギリス人リチャード・フランシス・バートンのインド駐在、メッカ巡礼、東アフリカ探検という三つの冒険を、実在および非実在人物の多彩な語りを交えて描いた小説。

リチャード・フランシス・バートンという人の、変人ひしめく19世紀イギリスにおいても際立つ奇人ぶりもさることながら、なんといっても「地元の」語り手たちの存在感たるや。バートンのインド駐在時代に仕えた召使。聖地メッカのシャリフ、イスラム学者、オスマントルコ総督。東アフリカ横断の旅に同伴した解放奴隷。翻訳していくうちに私自身の世界がぐぐぐっと広がっていく、眩暈にも似た感覚があった。

自らインドに暮らし、アフリカを徒歩で横断し、メッカ巡礼まで成し遂げた著者の執念の傑作だ。（浅井晶子）

12

兄弟 Brothers
余华

『兄弟』
余華 著
泉 京鹿 訳
アストラハウス

ナマの尻、人口処女膜、強壮剤、豊胸クリーム、パイプカット……作品を彩るキーワードを抜き出して並べていくと、大きな声で口にするのは憚られる猥雑な言葉だけでこの原稿の規定の字数をオーバーしてしまうので、この辺りで止めておきましょう。

　著者・余華曰く「中国人の美意識と道徳観念を逆なでする作品」という本書は、２００５年に上巻、２００６年に下巻刊行直後から「ゴミか傑作か」と賛否両論を巻き起こした中国の大ベストセラーです。邦訳企画を複数の出版社に持ちかけた際、「中国文学・文革モノ・上下巻のボリュームでは売れない要素の三重苦」と言われながら、北京五輪の年に文藝春秋から刊行、2年後に文庫化、また劇団東演による舞台化も実現、日本でも好評を得ました。やがて絶版になると幾度となく復刊の話が持ち上がっては潰えたかと思えば、満を持して東京五輪の年にアストラハウスから一冊の「鈍器本」として復刊となりました。

　欲望にまっすぐな主人公・李光頭同様、たくましい生命力をもつ本書の放つエネルギーをずっしりと感じながら、泣いて笑って怒って楽しんでいただけたら嬉しいです。

（泉 京鹿）

13

『고래』
천명관

『鯨』
チョン・ミョングァン 著
斎藤真理子 訳
晶文社

呆れるほどの面白さに圧倒され、1章ごとに大波をかぶり、どこに連れていかれるかわからない。この本を読むことは、鯨の背中に乗せられて旅に出るような経験だ。

韓国人が韓国語で書いた物語だけど、時代も場所もはっきりはわからない。幻想と現実が一体化して、過剰な語りに乗って吹き出してくる。登場人物は誰も彼も並外れた人間ばかり。男を惹きつける不思議な匂いを体から放ち、一代限りで猛烈に稼いで破滅していく女事業家クムボクと、巨体で怪力で口がきけず、一人残された荒野で見事なレンガを焼きつづける彼女の娘チュニ。そこへ、蜂を自在に操る片目の女や港町の殺し屋「刀傷」など濃厚な人物が次々と現れて、すさまじい暴力と苦痛、災厄、戦争、ギラギラの野望、胸のつまる恋、取り返しのつかない死が、一つの町と一つの映画館の栄枯盛衰とともに描かれる。

480ページを読み切ると、名前のつけられない感情で胸がいっぱいになる。ある意味、韓国文学の底力を一冊で代表するような本なので、この厚さは祝福！と訳者は思ってます。

（斎藤真理子）

"Americanah"
Chimamanda Ngozi Adichie

『アメリカーナ』（上・下巻）
チママンダ・ンゴズィ・アディーチェ 著
くぼたのぞみ 訳
河出文庫

物語は、人種をめぐる人気ブロガーのイフェメルがコーンロウを結ってもらうためにプリンストンから隣町へ出かける場面で幕をあける。13年前に軍政下のナイジェリアからアメリカへ来たころ、部屋代が払えず追い詰められて起きた事件のせいで、生涯の恋人オビンゼと決定的な断絶が起きてしまった。裕福な白人カートにひとめぼれされたり、アフリカ系アメリカ人の大学講師ブレインと出会ったり、チャンスには恵まれたけれど、だれかになったふりをして生きるのはもうやめようと、イフェメルは帰国を決意する。

9・11が起きて、ラゴスのアメリカ大使館は若い男性にヴィザを出さない。そこでオビンゼは大学教授の母について英国にわたり、不法労働で金を稼いで滞在許可証を得ようとするが不運にも強制送還に。ところが人生はオセロゲーム。ビッグマンに認められて大金持ちになって、美人の妻も迎えていまや一児の父だ。そこでイフェメルの帰国を知る。さあ、どうなる、どうなる？

21世紀に3大陸をまたいで展開されるラブコメディは細部がめっちゃリアルだ。どこまでも自分に正直に生きようとする恋人たちの姿が朝の光のようにすがすがしい。

（くぼたのぞみ）

15

"1 *Children of Blood and Bone*"
"2 *Children of Virtue and Vengeance*"
Tomi Adeyemi

『オリシャ戦記 1 血と骨の子』
『オリシャ戦記 2 美徳と復讐の子』
（全2巻）
トミ・アデイエミ 著
三辺律子 訳
静山社

『オリシャ戦記I』を読み終わった時、頭の芯がじんじんしていて、ああ、久しぶりにこの感覚を味わった、と思った。本の世界にどっぷり浸かった時に私の身体が起こす化学反応なのだ。

暴君サランが支配するオリシャ王国。かつては魔力を持つ魔師と持たない〈コスィダン〉が共に暮らしていたが、サランは〈襲撃《レイド》〉で魔師を皆殺しにし、オリシャの国から魔法を一掃した。物語はその11年後、かろうじて生きのびた魔師の子〈ディヴィナ〉である少女ゼリィが、失われたはずの魔力を手にしたところから始まる。

作者アデイエミはナイジェリア系アメリカ人。西アフリカの神話を基に紡がれた物語は、私の親しんだ西欧の竜と魔法のファンタジーとはちがう濃厚で豊満な手触りを持つ。地を穿ち、獣を手なずけ、死霊と結びつく彼らの魔法にはただただ目を瞠るばかりだ。

魔力・権力・富を持つ者と持たざる者の融和は容易ではない。作者が物語を描いた時、連日のように白人警官による黒人の射殺／暴行事件が報道されていた。物語にこめられた祈りが、オリシャの世界をいっそう力強いものにしている。

（三辺律子）

16

*"Of Human Bondage"*
W. Somerset Maugham

『人間の絆』（上・下巻）
サマセット・モーム 著
金原瑞人 訳
新潮文庫刊

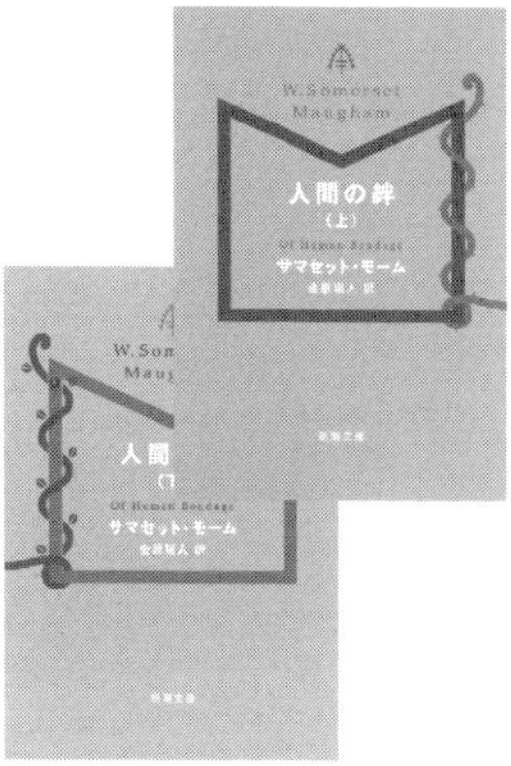


モームはいやな人物を書くのがじつにうまい。典型的な例が『月と六ペンス』のストリックランドだろう。しかし、この『人間の絆』の主人公フィリップも神経質で自意識過剰で、そのくせ自尊心だけは妙に強いといういやな人物で、大学生の頃にこれを読んだとき、とくに上巻では辟易したものだった。そのうえ、この作品はモームの半自伝小説。自分をよくこんなにいやな人間に描けるものだと、感心したのを覚えている。

そして下巻に入ると、モームはこのフィリップ＝自分をいじめまくる。いやな主人公がもっといやな女のせいでさんざんな目にあってロンドンをさまよう場面は、あまりに悲惨で、読者はついガードをゆるめてしまう。このあたり、モームは驚くほどうまい。きっと友だちは少なかっただろう。それはともかく、そんな話が１３００ページにわたって語られていく。ストーリーらしいストーリーもないのに、その長さを感じさせない書きっぷりは見事というしかない。読み終えたとき、続きが読みたくなる、そんな作品です。

（金原瑞人）

# 緊急特集2022

## Books and Wars　戦争を考える

「BOOKMARK」20号の特集は It will resonate。詩集や詩の形の小説などを取り上げる予定だったのですが、ロシアがいきなりウクライナに侵攻して、いろんな人がいろんなことを言い出す一方、新聞やTVはほぼいつも同じような報道をくり返すという状況になってしまいました。こうなると「BOOKMARK」も、何かできることをしたいと思い、特別号を出すことにしたという次第です。

　そこで、これまで「BOOKMARK」に関わってくださった方、これから「BOOKMARK」に関わってほしいと思っている方を考えて、次のようなお願いの文章を送りました。

……………

「BOOKMARK」は海外の翻訳作品の紹介冊子で、とくに若者に読んでもらいたい作品を中心に取り上げてきたのですが、今回は特別に、日本の作家さんに作品をひとつ（自作でもほかの方の作品でも、日本物でも翻訳物でも、小説でも詩歌でも、絵本でも写真集でも、また戦争に関係のない本でも）取り上げていただき、それにからめて戦争に関するエッセイをお願いすることにしました。

いうまでもなくロシアのウクライナ侵攻に触発された特別号です。とはいえ、ロシアが悪い、プーチンはひどいということではなく、とにかく「戦争」について考えるための冊子にしたいと思っています。

……………

　その結果、作家、ジャーナリスト、詩人、歌人、装丁家など29名の方からエッセイをいただきました。どうぞ、読んでみてください。（金原瑞人、三辺律子）

01

# 祖父の沈黙

青山七恵

五年前に死去した母方の祖父は、私の周りで唯一の「戦争に行ったひと」だった。真偽不明ながら、戦争中は部隊の食糧を管理する仕事をしていたと誰かから聞いたことがある。子ども心に、じゃあおじいちゃんはひとを殺したことはないんだろうな、とほっとしたし、戦争で殺しあいが起こっていても、皆お腹はすくし、誰かが食べ物を用意しないといけないんだなと、拍子抜けするような思いもした。

祖父は寡黙なひとだった。動作には荒っぽいところがあって、めったに笑いもしなかった。自分から戦争の話をしたことは一度もなかった。狭い家のなか皆でご飯を食べていてもなぜだか一人ぼっちに見えた。戦争に行ったおじいちゃんが、子どもの私にはいつも少し、怖かった。

戦争はいつかは終わる。でも、生き延びて、「戦争に行ったひと」の人生はそれからも続く。大岡昇平の『武蔵野夫人』には、復員して従姉妹の家に身を寄せる勉という青年が登場する。ビルマの森で戦った彼の肉体には、いまだ兵士としての習慣が染み付いている。頭上に広がるのは穏やかな武蔵野の空であっても、そこを横切る飛行機を警戒せずにはいられないし、どこへ行ってもその土地の地形的特徴を即座に把握する癖が抜けない。従姉妹の道子への激しい恋情と、取水塔へ毒を投げ込む危険な妄想が心に同居する彼は、「俺はもう、人混りのできない体かも知れぬ」と絶望的に自覚している。彼の心奥深くに押された復員兵の烙印は、常に彼をひとから遠ざける。

勉との許されぬ恋に身を滅ぼす道子の悲劇を追って物語は幕を閉じるが、勉の内にある悲劇は誰の口からも語られることはない。いくらでも補充される武器とは違って、戦禍の極限状態で酷使され踏み躙られる魂と肉体にスペアなどない。その傷ついた魂と肉体で、リセットされない人生を生き続けるとはどういうことなのか。満ち足りた衣食住は、人々の情愛は、その傷から流れた血を洗い清めることはできるのか。うら若い青年であるはずの『武蔵野夫人』の勉は、年老いた、それも亡くなる少し前の、もっとも弱った祖父の姿を思い起こさせる。生き延びて病床に横たわる祖父は、深く深く沈黙していた。私はその沈黙のことを、ずっと考え続けたい。

『武蔵野夫人』
大岡昇平 著
新潮文庫刊

02

# 戦争の名のもとに、わたしは誰とどうたたかうのか。

あさのあつこ

ミサイルが飛び交い、戦車が走り、人々が逃げ惑う。毎日、テレビやスマホから流れ出てくる映像をこれが2022年現在のもの、現在進行形の光景なのだと信じ、受け入れる精神的な力がわたしにはない。かといって、遠い異国の、つまり、わたし自身には何ら関わりない出来事だと割り切る力もない。だから、つい「プーチンてひどいよね」とか「ロシア軍ってああいう残虐な体質なの」とか、訳知り立てに語ってしまう。このごろ、わたしと同じ訳知り立ての顔や言説が増えた気がするのは、勝手な思い込みだろうか。

一般人への無差別な攻撃、レイプ、略奪、拷問、虐殺……21世紀の戦争報道の中で、繰り返し語られる言葉に、一冊の本を思わずにはいられなかった。『増補版1《イ》★9《ク》★3《ミ》★7《ナ》』(辺見庸/河出書房新社)。1937年以降の中国で皇軍兵士、日本の兵隊たちが何をしたか。何をしなかったか。何十年もの年月が腐葉土になって覆い隠してきた歴史の蓋をこじ開ければ、そこから這い出てきたのは、一般人への無差別な攻撃、レイプ、略奪、拷問、虐殺……。何も変わっていない。ほとんど同じだ。戦争とはどんなものでも酷似するのか。ではでは、今、訳知り立てにプーチンを人でなしと罵り、ロシア軍を危険で野蛮な組織と憎むわたしたちは、この一冊の内に存在する事実をどう受け止めるのか。どう受け止めればいいのか。答えがわからない。戦争の名のもとに、ロシア軍も旧日本軍も同じことをしていた？ 同じことをしている？ 自分は事実とどのように向き合える？ 歴史とどう関わっていく？ 疑問符ばかりが突き刺さる。

突き刺さるのは痛いし、考えるのは面倒だからと、この本を閉じて本棚に仕舞い込むのは簡単だ。本は抗いも、叫びもしない。でも、それをやってしまったら、また、わたしたちは同じことをする。一般人への無差別な攻撃、レイプ、略奪、拷問、虐殺……同じことをする。戦争という名のもとに。快適や愉悦とは無縁の読書体験が教えてくれたことだ。

『増補版 1★9★3★7』
辺見庸 著
河出書房新社

『完全版 1★9★3★7』（上・下巻）
辺見庸 著
KADOKAWA／角川文庫

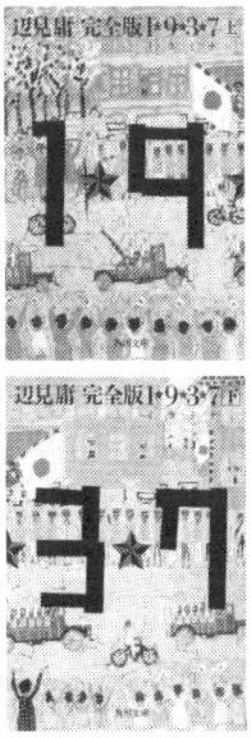

03

# ウクライナ語でベルドゥーチウ

伊藤比呂美

2015年に翻訳した本のことを考えている。『リフカの旅』。原作はアメリカ人作家のカレン・ヘス。

ウクライナのベルディチェフ（ロシア語読みの英語読み。ウクライナ語読みではベルドゥーチウ）に住んでいたユダヤ人家族が1919年から1920年にかけてアメリカに移民していく話だった。著者の大叔母の実体験がもとになった話だそうだ。

今読み返してみて驚いたのは、話の中に「ウクライナ人」や「ウクライナ語」が一度も出てこないことだ。訳している間、何の不思議も感じてなかった。不覚であった。

私の子ども期、このあたりはソ連邦の一部だった。カリフォルニアがアメリカ合州国の一部であるように。それに慣れていたから、何も考えずに納得していたのかもしれない。カレン・ヘス（1952年生、1955年生の私とは同世代）もそうだったのかもしれない。

この本の中で、人々はその土地をロシアと呼ぶ。「ウクライナから来た」とも言うけど、ほとんどは「ロシア」だ。「おれたちはロシアを出る」「どうしてロシアでは、問題が起きたらいつもユダヤ人のせいになるんだろう」「私はユダヤ人だけど、ロシア人でもある」などと。

ベルディチェフ、ウクライナ語でベルドゥーチウ（２０１５年に調べていたとき、この読み方は日本語で出てこなかった。今はすぐ出る）にはユダヤ人が圧倒的に多かった。彼らは１９４１年に全滅させられた。その周辺にはウクライナ人がいて、ウクライナ語をしゃべっていたはずだ。

もしかしたら１９１９年、ウクライナ人にウクライナ人のアイデンティティはなかったのか。そこを調べ直そうとしたけれども、大国にふりまわされてきたウクライナの歴史に唖然とするばかりで、歴史学者ならともかく、一介の詩人にはどうにもまとめられない。でもそのまとまらないのが近代ウクライナの歴史そのものに思える。

てなことは、翻訳したときさんざん調べたはずだった。ところが現実の侵攻があって、その場や生き死にの現場を見せつけられるや、たちまちすべてがリアルに迫る。今ごろカレン・ヘスさんも同じことを考えているのではあるまいか。

*“Letters from Rifka”*
Karen Hesse
『リフカの旅』
カレン・ヘス 著
伊藤比呂美／西 更 訳
理論社

04

# 私は願う

江國香織

『オン・リーディング』（マガジンハウス刊）は小ぶりで静かな写真集で、私はこの30年、仕事机から手をのばせばすぐ取れるところに置いている。べつに毎日眺めるわけではないけれど、そばにあるだけで落ち着く。そういう本だ。写真家の名前はアンドレ・ケルテス。

タイトル通り、何かを読んでいる人の写真だけが集められている。すべてモノクロで、だからこそ光も影も美しい。ぼろぼろの服を着て裸足で、おもてで友達と頭を寄せ合って1冊の本を読む少年の写真がある。優雅な書斎で本を読む紳士の写真も。戸外のゴミ入れの上に新聞を広げ、家まで待てないかのように目を凝らす男性や、屋根の上で日光浴しながら何かを読む、のびやかな姿態の女性の写真も。公園で、川べで、店先で、街角で、ベランダで、電車のなかで、みんな何かを読んでいる。いちばん古い写真は1915年、いちばん新しい写真は1970年に撮られている。アメリカで、フランスで、日本で、ハンガリーで、アルゼンチンで、イタリアで。どの写真からも、時代の空気や街の息吹、人々の生活の手触りが伝わってくる。読んでいる人たちは本に没入しているので、そこにいるのにいないみたいだ。

最後の一枚は、ホスピスのベッドで何かを読んでいる老女。

読書など平和なときのもの、と私は思わない。むしろいきなり平和な日常が奪われたとき、人はそれまで以上に切実に、読むことを必要とするだろう。たとえば大切な人からの手紙を、やっと手に入った新聞を、手放せなかった一冊の本を、逃げるときに荷物につめた、子どもの気に入りの絵本を。

戦争という異常事態にある場所に、読むものがありますようにと私は願う。あっても何かの解決にはならないし、記事で正しい情報を伝えたいという志あるジャーナリストは殺されてしまうかもしれない。それでも人が正気を保つために、読むものがありますようにと私は願う。現実逃避でも何でも構わないではないか。

"ON READING"
André Kertész
『ON READING』
アンドレ・ケルテス 著
マガジンハウス

"ON READING"
André Kertész
『読む時間』
アンドレ・ケルテス 著
渡辺滋人 訳
創元社

05

# 私の戦争体験

小野耕世

戦争に関わる文学の紹介、ということですが、なによりも私自身が書いた「戦争」についての本を、まず紹介したい気持ちにかられることを、どうかお許し願いたい。

その一冊は、ＴＢＳブリタニカという出版社から出した『アイスクリーム戦争』という子ども向きのファンタジーだ。アイスクリーム星の宇宙人たちが、地球をアイスクリームにしてしまおうと攻撃してくる。そして東京にアイスクリームの雪が降るのだが、それをアイスクリーム好きの5歳の坊やがやっつけてしまうという物語。自分でも読み返して、いまでも気分が楽しくなる本で、われながら、うまく書けたなとなつかしく思っている。

戦争という言葉が、フィクションであっても、愉快なファンタジーとして描くことが可能であった時代が存在したのである。現在の世界状況を見ると、いつかまたそういう時代が来ることを願っている。

もう一つは、これから書こうと思っている私自身の〈戦争体験〉を描く本だ。

１９４５年、東京・世田谷の私の家は、空襲を受け一夜にして炎上、5歳の私と3歳の弟は、埼玉県の縁故を頼って母に連れられて疎開（脱出）した。疎開先の家に住んでいた私は、ある日、外に出ていなかの畑のなかを歩いていたら、突然、アメリカのグラマン戦闘機が一機だけ空に現れ、私に向かって機銃掃射して（撃ちまくって）きた。

私は、あわてて畑に植えられた野菜のあいだにしゃがみこんだ。奇跡的に、弾丸は私には一発も当たらず、グラマンは、そのまま飛び去った。

戦争とはそうした状況が起こり得るものなのだということを知ってほしい。まさか、そんなことが——と思われるだろうが、まぎれのない事実であり、いずれ書くつもりの〈私の自叙伝〉では、この事件を詳しく記すつもりでいる。うまくいくかどうか、待っていてください。

『アイスクリーム戦争』
小野耕世 著
TBSブリタニカ

06

# 出口を見つける参考書

金井真紀

冬の酒場で耳にした、ふたりの先生の会話が忘れがたい。

「ぼくは若い人にこの世の悲惨さを伝える時、必ず〝出口〟を用意する」

と、ひとりが言った。たとえば授業で貧困国の児童労働を取り上げた場合、最後に出口を言い添える。支援団体の情報や、「あの製品を買うと搾取に加担してしまうので、自分は買わない」みたいな雑談を。

「あぁ、それは大事ですね」

もうひとりの先生がすかさず同意した。

「酷い話を聞いて、自分ができることが何もなかったら無力感に打ちのめされてしまうから」

「出口は小さなことでいいんだ」

「そうそう」

ふたりの先生は頷きあい、いそいそと2杯目の焼酎の銘柄検討に入った。隣でわたしは少し泣きそうだった。酔っていたせいかも。

春まだ浅い頃、戦争が始まった。

加害国の街頭で反戦の意思を示す市民の映像に、わたしは震えた。警官が容赦なく襲いかかり、根こそぎ連行していく。怖すぎる。わたしの国もかつて戦争加害国だった。もし自分だったら、あの状況で反戦の声を上げ続けることができるだろうか。たぶん無理……。

そんな時だ。イルコモンズ氏——あの晩、焼酎を飲んでいた先生のうちのひとり——がSNSで「抗議するちっちゃい人たち」の写真を紹介したのは。モスクワの橋の上、歩道の端、門扉の間などにこっそりと「NO WAR」のプラカードを持った人形が置かれたのだ。人形は5センチくらい、粘土でできている。なんて愛らしい反戦運動だろう。ちっちゃい人の存在に、わたしは勇気づけられた。何もしないうちから、できることがないなんて決めてどうする。

『プロテストってなに？　世界を変えたさまざまな社会運動』（アリス＆エミリー・ハワース＝ブース著／青幻舎）にも「不服従の人形たち」の項がある。デモが禁じられた場所にテディベアやレゴの人形を並べた事例が載っていて、胸が熱くなる。本書に登場するのは、くそったれの世界を諦めない人たち。落ち着いて探せば、きっと出口はある。

*"Protest! How people have come together to change the world"*
Alice & Emily Haworth-Booth

『プロテストってなに？
世界を変えたさまざまな社会運動』
アリス＆エミリー・ハワース＝ブース 著
糟野桃代 訳
青幻舎

07

# 独裁国家と作家の正方形

川名潤

彼のInstagramは、そのほとんどが「気をつけ」の姿勢で立っている彼自身の写真で、正方形の背景はさまざまだ。アプリの中の直立不動の姿は、政府の目から逃れる生活をしながらも、「私はここにいて、そして無事だ」というメッセージとも取れる。

ウクライナとロシアの隣国である独裁国家・ベラルーシの作家である彼は、この本を書いたことでベラルーシ当局から目を付けられ、ロシアやヨーロッパ諸国に逃れる生活をしているとのことだった。真偽は不明だが、ベラルーシ本国ではこの本の担当編集者が捕まったり、彼の友人が暴行を受けたりしたことがあるらしい。

日本語版の装丁は、ベラルーシの民主化運動の象徴である白地に赤いラインの入った旗を使うアイデアもあったのだが、そのデザインがベラルーシ当局に見つかり、そこから著者のメッセージが読み取られるとマズい。なんせこの本は独裁国家の現状を描きながらも、「ベラルーシ」という言葉がひとつも出てこないのだ。

彼の身を案じ、紅白の旗のアイデアを諦め、とはいっても結局は白いベッドと赤い毛布という、言い逃れができるかできないか、なんとも微妙なラインの装丁にしたのだが、彼はとても喜んでくれたらしいと聞いた。

ロシアによるウクライナ侵攻開始のニュースを聞き、私がいちばんはじめに頭に浮かんだのは、彼、つまり独裁体制と戦う作家、サーシャ・フィリペンコの安否のことだった。ロシアでもベラルーシでも、反体制のジャーナリストがすでに拘束されたというニュースもある。どうか、どこかで、無事でいてほしい。

2月24日、あいかわらず正方形の中に直立不動する彼と「Free Ukraine and Belarus」のメッセージが投稿された。続いて投稿されたのは画像化されたテキスト。「今、すべてのロシア人の選択肢は2つしかない。①〝戦争反対〟のプラカードを持って、街に出る。②黙って家にいて、戦争を支持した人間として、国と家族の歴史に永遠に残る。」

スマートフォンの画面で、戦う作家のタフネスを確認した私は、自分のSNSの画面に「#戦争反対」と打ち込んだ。

БЫВШИЙ СЫН
Саша Филипенко
『理不尽ゲーム』
サーシャ・フィリペンコ 著
奈倉有里 訳
集英社

08

# 世界中に届け、日本の『On A Bright Summer Morning』

小手鞠るい

『ある晴れた夏の朝』を書き上げたときには、まさかこの作品が読書感想文全国コンクールの課題図書に選ばれたり、小学館児童出版文化賞を受賞したり、日経新聞のコラムで紹介されたりすることになるなんて、露ほども想像していなかった。それどころか、もしかしたら批判の矢面に立たされるかもしれないと、覚悟を決めていたほどだった。なぜなら私はこの作品の中で「日本への原爆投下を肯定するアメリカの高校生たち」を登場させているからだ。児童書の中で、たとえそれがフィクション上の討論会であっても、登場人物に原爆投下を肯定させるなんて、言語道断だろう。わかっていながらも、私はこの設定にこだわった。日本の子どもたちに平和の大切さを語ろうとするとき「日本は世界で唯一の被爆国」というアプローチでは、片手落ちではないかと考えたからである。原爆が落とされる、あの夏の朝がやって来るまでに、日本はどこで、どんな戦争をしてきたのか。これを語らずして、原爆の悲惨さは語れないだろうとも思った。

本作が出たあと、多くの読者から「世界中の人々に読んでほしい」という感想が届いた。子どもたちのみならず、大人や戦争の体験者からも熱く支持された。こうした声を受けて、偕成社から出たのが英語版“On A Bright Summer Morning”である。手前味噌ではあるけれど、英訳者は私の夫、グレン・サリバン。なぜ英訳を手がける決心をしたのか、彼に尋ねてみたところ、こんな答えが返ってきた。

「本作に出てくる、原爆投下にまつわる歴史的事実の中には、僕自身がこれまでまったく知らなかったことも含まれていて驚いた。この作品をぜひアメリカの若者たちにも読んでもらいたいと思った。英語に訳されていれば、世界中に広がっていくだろう」

　１９６９年、ニューヨーク州の田舎村に約40万人もの若者たちが集結したロックフェス「ウッドストック」は、ヴェトナム戦争の終結につながっていく歴史的なイベントとなった。本書は、そのウッドストックの森の中で暮らす、かつては戦争をしていたアメリカ人と日本人の合作である。

『ある晴れた夏の朝』
小手鞠るい 著
偕成社

"On A Bright Summer Morning"
Rui Kodemari / Glenn Sullivan
偕成社

ある晴れた夏の朝
小手鞠るい 著
グレン・サリバン 訳

09

# 絶望を伝える魔術としての文学

桜庭一樹

五年前、拙著『赤朽葉家の伝説』のポーランド語版が出版された折、ワルシャワで開催されたブックフェスティバルにゲストとして招かれた。このときアテンドして下さった同世代の女性編集者から、ランチのピロシキとヨーグルトのスープを食べながら、このようなお話を聞いた。

「私は編集業の傍、長年ブルーノ・シュルツの研究をしています。彼はユダヤ系の作家で、戦争中は穴を掘って原稿を埋めるなどしてナチスから作品を隠しました。私はいつか必ず本格的に研究に戻るつもりです」

それから続けてこう言った。

「私もユダヤ系で、祖父はアウシュビッツにいました」

絶句してしまった。

その場で検索すると、シュルツの小説は幸い邦訳されているとわかった。なんと答えたらよいかわからず、ただ、帰国したら読みますとだけ答えた。すると短編「砂時計《クレプスィドラ》サナトリウム」がことに傑作だと教えて下さった。

帰国してすぐ、彼の作品を読んだ。

ブルーノ・シュルツは1892年、ポーランドのドロホビチ（現ウクライナ領）

で生まれた。この地はオーストリア・ハンガリー帝国、ポーランド、ソビエト連邦、ナチスドイツなどさまざまな国に目まぐるしく支配された。シュルツは美術の教職に就くなどして親族を養いつつ、小説執筆を続けた。やがてナチス支配下となりゲットーに移住。ゲシュタポの兵士の家庭で絵を描かされるなどしていたが、1942年、路上でゲシュタポに撃たれて亡くなった。

「砂時計サナトリウム」は、銀河鉄道のような幻想の列車に乗ってパラレルワールドのような故郷に帰り、生前と変わらず暮らし労働する亡父と再会するという物語だ。カフカやタデウシュ・カントールに近い、〝言語化不可能な苦悩を異端の幻想によって奇跡的に伝えられる〟作風、だろうか。「確かに傑作です」といつか彼女に伝える機会があれば、と思っている。
"Wszystkie opowiadania Brunona Schulza"
Bruno Schulz
『シュルツ全小説』
ブルーノ・シュルツ 著
工藤幸雄 訳
平凡社

10

# 苛酷な引き算

高階杞一

「昭和二十年、八月十五日」

野坂昭如著『戦争童話集』に収められた12の短編はすべてこの一行で始まっている。例えば、次のように。

「昭和二十年、八月十五日／南の、大きな島の、ジャングルと、海の間に、ほんのわずか開けた砂浜があって、そこに、一人の日本兵が倒れていました。」（「ソルジャーズ・ファミリー」）

タイトルに「童話集」とあるように、どの作品にも残酷な戦闘シーンは描かれていない。日本が戦争に敗れた「昭和二十年八月十五日」のさまざまな一日がさまざまな状況を通して描かれている。右に挙げた「ソルジャーズ・ファミリー」では、南の孤島で、故郷へ帰る日を夢想しながら飢えで死んでいく兵士の姿が、「八月の風船」では、戦争末期、軍部によって開発された風船爆弾の製造に従事する女子学生たちの姿が、「小さい潜水艦に恋をしたでかすぎるクジラの話」では、日本軍の小型潜水艦を雌のクジラと思い込み、その彼女（？）を敵艦から守るため、落とされた爆雷を身代わりに受けて死んでいく雄のクジラの姿が描かれている。

こうした物語を通して作者が伝えようとしているのは戦争の不条理にほかならな

い。戦争は何の罪もない人たちに苛酷な引き算を強いる。食べる物を奪い、住む家を奪い、学ぶ時間を奪い、大切にしていた物や愛する人を奪い、当たり前のようにあった日常のすべてを瞬時に奪い去っていく。

野坂昭如の戦争を描いた作品としては、アニメやドラマで幾度も映像化されている『火垂るの墓』が有名だが、この短編集も多くの人に読んでもらいたい。遠い昔の出来事だと思っていた戦争が、目前の出来事になった今、日本国内だけでなく、海外の、願わくばこの戦争を起こしている国の人たちにも読んでもらえたらと願う。

「夕焼けが消えても、海は赤いままで、小さな潜水艦も、いつまでもそのまま浮かんでいました。」(「小さい潜水艦に恋をしたでかすぎるクジラの話」ラスト)

『戦争童話集』
野坂昭如 著
中公文庫

11

# 戦争前のウクライナを垣間見る本

恒川光太郎

本書はキーウで育った女性が日本の大学で学び日本語で書いた14年刊のエッセイ。すらすらと頭に入る素直な文章で、ウクライナの思い出や、徒然なる日々の雑感が綴られている。「相田みつを」美術館にいったときの感動や、食べ物や服についてのほのぼのとした題材がある一方、チェルノブイリ原発事故が起こった時の記憶や、ドイツ軍が攻めてきたときの祖父母世代の話、スターリン時代の飢餓（収穫全てをソ連に接収され、膨大な餓死者がでている）など、暗雲漂うものもある。第二次大戦時にキーウを占領したドイツ人とキーウのサッカーチームが試合をして、勝ったがために選手が全員殺され「死の試合」として神話化された話（実際は全員ではなく、また試合と関係ないらしい）など、サッカーネタにも、苦汁の日々の記憶が滲んでいる。ウクライナは何度も非常事態を経験しているのだ。

戦時となると、双方のプロパガンダもあり、情報に政治的意図のフィルターがかかると斜めに捉えてしまうが、本書はまだ戦争が起こる前のウクライナ民間人視点で、ロシアとウクライナの関係性や、ソ連から独立したウクライナ人のアイデンティティが綴られていて興味深い。

１５００年以上の歴史をもつキーウの名所旧跡を歩く散歩ガイドの項など、現在の報道映像と照らすと胸が痛む。「ウクライナがどんなところかご存知ですか」と作者は語りかけてくる。作者は故郷ウクライナのイメージは、どこまでも続く麦畑と原野だという。のびのびとした牧歌的な人々が紹介される本故に、隣接国が侵略してくる今回の戦争が、人々から何を奪ったのか皮肉にも浮き上がらせている。どこまでも続く麦畑と、北の大自然、そして美しいキーウの街を平穏に歩ける日々が訪れることを願ってやまない。

『ウクライナから愛をこめて』
オリガ・ホメンコ 著
群像社

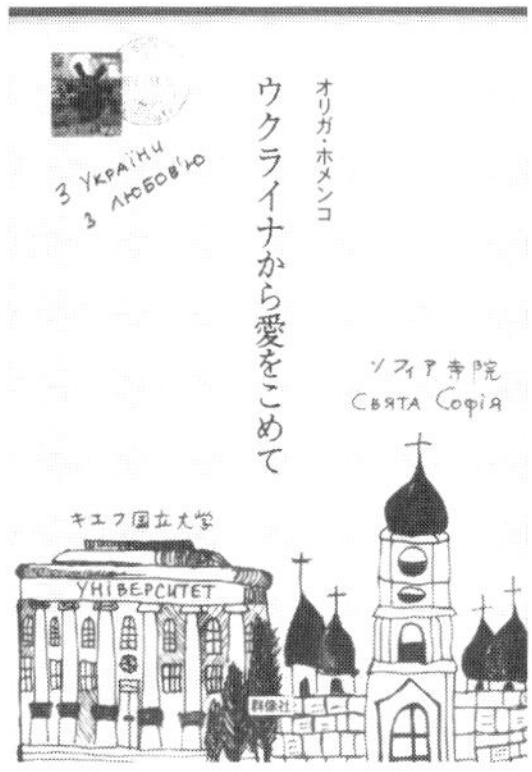

12

# 自分自身の戦場

都甲幸治

一つの光景が僕に取り憑いて離れない。ベトナム戦争から帰ってきたノーマンは故郷の街でやることがない。父親のシボレーに乗り、大きな湖の周りを何度も回り続けるだけだ。途中には彼が戦争に行く前に愛していたサリーの家がある。でも彼女に語りかけることはできない。彼が戦争に行ってる間に結婚し、苗字も変わってしまったのだ。父親も話を聞いてくれない。いや聞いてくれはするかもしれない。だがどうしてもノーマンは自分の思いを言葉にできない。

あの日、川岸で野営していて雨が降り出し地面がドロドロと溶け始め、自分たちの部隊が巨大な肥溜めの上にいると気づいた。逃げ出そうにも、敵軍の迫撃砲がどんどんと打ち込まれている。見れば仲間のカイオワがズブズブと沈んでいく。彼の足を掴んだが、あまりの臭いにノーマンは手を放してしまう。自分は十分に勇敢ではなかったのか。しかしあの恐怖のなか、寒さに耐えていた自分は勇敢と言えるんじゃないか。そんなことを考えても、カイオワを見捨てたという事実は変わらない。

ティム・オブライエンの名著『本当の戦争の話をしよう』に収録された短編「勇敢であること」には後日譚がある。主人公のノーマンは数年後、居場所を見つけられずに故郷のYMCAのロッカールームで首を吊る。自分に取り憑いて離れないこの物語の混沌の中に彼は沈み込み、命まで失ってしまったのだ。そして作者のティムはこう言う。自分だってノーマンと変わらない。ただ一つ違うのは、文章を書くことで記憶を自分の外側に出す技術を持っていることだけだ。

戦争は敵味方の区別なく深く心を傷つける。ある意味、一度戦場を経験したものは決して戻ってはこれない。そして彼らは、自分を拒む日常の中で何とか生き延びようともがき続ける。その過程で生まれた物語は、なぜか聞く者の心を癒す力を持っている。おそらくそれは、どんな人にも自分自身の戦場のようなものが存在するからだろう。

*"The things they carried"*
Tim O'Brien
『本当の戦争の話をしよう』
ティム・オブライエン 著
村上春樹 訳
文春文庫

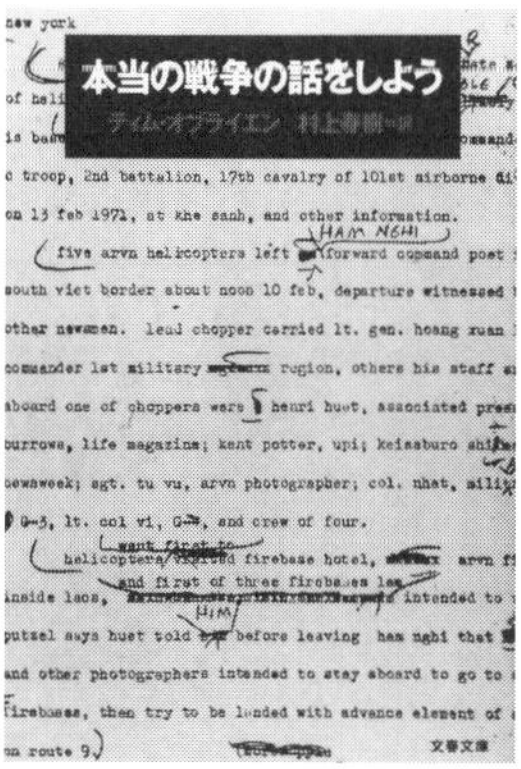

13

## ――とタブッキは書き残している

西島伝法

戦争という言葉には欺瞞がある。ウクライナの住民の多くは、ロシア軍の侵攻が起きるとは思っていなかったという。突如攻めてきた集団に町を蹂躙され、見知らぬ個人に日常を送る個人が殺害される。戦争で亡くなった、などと言われるが、その個人がいつ戦争に加わったというのだろう。

戦争と個人について考えるとき、戦争を直接描いているわけではないアントニオ・タブッキの二つの作品が頭によぎる。

『供述によるとペレイラは……』は、ファシズムが広がりつつあるポルトガルで、新聞の文芸欄を担当しながらほどほどに暮らしてきた中年記者ペレイラが、奇妙な若者と出会ったことでこれまで見てみぬふりをしてきた政治状況に向き合うという物語だ。〝そうペレイラは供述している。〟等の文言を交えた供述調書の体裁で書かれており、どこかに勾留されて尋問を受けているようなのだが、ペレイラの現在については一切触れられないのが恐ろしい。

『ダマセーノ・モンテイロの失われた首』は、ポルトガルの古都ポルトで見つかった首なし死体の謎を、若き新聞記者フィルミーノが追うミステリ仕立ての物語だ。取材を進めるうちに死体が拷問を受けていたことが明らかになり、事件を担当することになったチャールズ・ロートン似の巨漢弁護士ドン・フェルナンドが、かつてひどい拷問を受けた政治家やジャーナリストに言及してからこう語る。〝拷問者の名前を記憶することには意味があるんじゃないかと思えるのです。どうしてだと思います？　なぜなら、拷問は個人の責任で行う行為だからです。上官の命令に従ったという理由は許されません。多くの人がこの卑劣な言い訳を隠れ蓑にしてきました。それを理由にすることによって法的に守られてきたんです。わかりますか？〟

　この箇所のために本書は書かれたのだと感じたし、戦争にも通じるこの言葉を忘れずにいたいと思っている。

*"Sostiene Pereira"*
Antonio Tabucchi
『供述によるとペレイラは……』
アントニオ・タブッキ 著
須賀敦子 訳
白水Uブックス

*"LA TESTA PERDUTA DI DAMASCENO MONTEIRO"*
Antonio Tabucchi
『ダマセーノ・モンテイロの失われた首』
アントニオ・タブッキ 著
草皆伸子 訳
白水社

14

# 戦いの中で平和を求める

長倉洋海

戦争の渦中にいる人が一番、戦いをやめたいと願っている。それなのになぜ戦い続けるのか。そこに目を向けなければ、平和にはつながらない。

そう思わせてくれた人物がマスードだった。侵攻してきたソ連軍と戦い、ついには撤退に追い込んだ人物だ。その人柄に魅かれ、17年に亘り、500日を共に過ごした。詩と読書を愛したマスード。彼に「死が怖くないか」と質問すると、「私が死ぬ時、それが神の意志だろう。その時までを懸命に生きたい」と答え、「国を解放したら？」と尋ねたら「貿易の仕事がしたい。人々が喜ぶものを輸入したい。上手くいかなかったら、って？　失敗したっていいじゃないか、もともと失うものは何もないんだから」と爽やかな笑顔を浮かべた。

92年首都に入城、暫定政権国防相となるが、各派の対立が収まらず、南から隣国が支援するタリバンが迫ると、これ以上の首都の破壊を避けようとマスードは撤退。北部で抵抗を続けながらも和平交渉を呼びかけた。「各勢力が武器を置き、話し合い、国民の声に従うことが最大の勝利」と考えていたからだ。

彼が自爆テロで斃れてから20年が経つが、世界各地でいまも戦火と殺戮が続いている。ウクライナ、アフガニスタン、ミャンマー、シリア、クルド人居住区……。

第二次大戦後、西側諸国が育て上げた「自由と平和」は、権力者の野心や自国第一主義の前に音をたてて崩れ落ちたように見える。

ブラジルで出会った先住民リーダーのアユトンは「白人が上陸してきた時、私たちは『戦いは止めよう』と念を送った。戦いは相手ばかりか自分の魂を傷つけるからだ。が、彼らには通じなかった」と話した。マスードはできるだけ戦いを避け、憎悪の応酬を断ち切ろうとしてきた。「夫の仇を取るために銃を」と懇願する母子に「復讐からは何も生まれない。それより、この子を学校にやりなさい」と説得していた姿が忘れられない。戦火の中を生きる人の声を聞き、争いの原因を探り、それを取り除いていくことで、「本当の平和」が近づいてくると私は思っている。

『アフガニスタン
マスードが命を懸けた国』
長倉洋海 著
白水社

15

中脇初枝

この本につながる一番古い記憶は、黄砂だ。

四万十川べりの小さな家の庭で、空を見上げたわたしは、なぜ空が黄色くなったのかふしぎに思って、母に訊いた。

「黄砂よ。中国から飛んでくるがよ」

その答えに、わたしは初めて、自分が暮らす国の外に、よその国があるということを知った。この地域では、黄砂は地を肥やしてくれるものとして歓迎される。

それがいつしか汚染物質を運ぶものとなり、PM2・5が取り沙汰されてマスクが売られ、散々騒いだものだったけれど、そのマスクで今防いでいるのは新型コロナウイルスだ。

どんなはやり病も三年経ったらおさまると江戸時代にはいわれていた。その言い習わし通りなのか、コロナ禍も三年目を迎え、世界の目はロシアのウクライナ侵攻に移っている。

人はうつろう。そして、忘れて、くりかえす。

黄砂を生むあの大地には、今も多くの日本人が眠っている。満蒙開拓の国策のもと、四万十川べりの貧村からは、それまで村から出たこともない人たちが海を渡って、中国の国境地帯に新たに村をつくった。ソ連侵攻と敗戦で難民となった彼ら。日本に引き揚げる途上で、命を失った人は数えきれない。

昨日まで生きていた人が、打ち捨てられ、荷台に積まれ、埋められた。家族を亡くした少女であり、少年だった人たちの案内でその場所を訪れたとき、そのようすがはもう何もなかった。そこに暮らす人たちも、何も知らなかった。

たくさんの人たちに話を聞いた。あの大地で、中国人と戦った日本人にも、日本人と戦った中国人にも。空襲で家族を失って孤児になった人にも、特攻機に乗って沖縄へ飛んだ人にも。

年を重ねるにつれ、話をしてくれた人たちが、一人、また一人と亡くなっていく。

誰かの記憶にしか残っていない過去が失われていく。過去を失ったわたしたちは、同じことをくりかえす。そして、大地はいつも死者を拒まず、うけいれつづけている。

この春もまた、黄砂が飛んでくる。

『世界の果てのこどもたち』
中脇初枝 著
講談社文庫

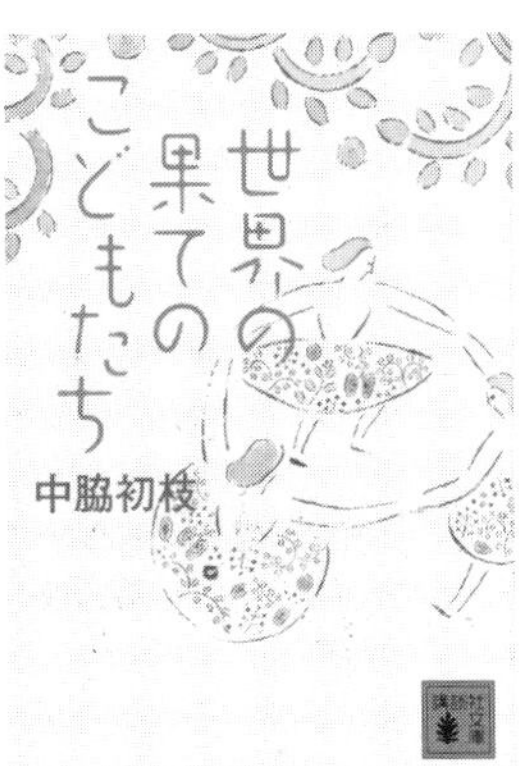

16

# 問うこと

梨屋アリエ

1991年1月、短大生だったわたしは地元の結婚式場のウェディングショーで振袖を着ることになった。素人モデルをやってみれば、それをネタに少女小説が書けるかも、という浅はかな動機だった。主催者から、花嫁メイクが映えるように事前に顔そり襟そりをしてくるように言われて、生まれてはじめて理髪店というところに入った。

その店のテレビで、赤外線カメラの爆撃映像を見た。「砂漠の嵐作戦」の空爆のニュースだった。ゲーム画面のような実際の爆撃がテレビで流された。戦争がテレビで見れるのか。怖さというより、嫌な気持ちになった。世界はつながっているのに無関係を装って、自分は遠い国の安全な場所で最新の戦争を、だれかが死ぬことを、見て聞いて消費するのだ。わたしは一体何をしてるんだろう……。襟足を剃られながら少し泣いてしまった。

子どものころ、いつも不思議に思っていたことがあった。大人たちは子どもに「戦争はいけない」と教えるのに、なぜ戦争が始まったときに当時の大人は戦争をやめさせなかったのか。戦争をするのは大人なのに、どうして子どもにだけ戦争をするなと教えるのか。

湾岸戦争が始まった年、わたしは20歳になった。つまりわたしも大人の一人になってしまった。大人なら戦争をやめさせなよ、と子どものわたしが大人のわたしを責めていた。なにがどうして戦争になったのかさえわかってなかった。考えれば考えるほど、受けとめきれず、逃げ出したくなる。

戦争体験のないわたしにとって、「初めての戦争」はテレビの中の湾岸戦争だった。そう話して、呆れられたことがある。2022年、フィルターバブルの中にいるいまの若い人たちは、ウクライナ侵攻をどう記憶するだろうか。

まだ始まりに過ぎないのかもしれない、という不安の中、わたしはスマホ越しに、戦争というものは、個人の存在を、己を奪っていくのだと感じている。自分が自分であるという感覚。そのための素朴な問いを続けていたい。

『最初の質問』
長田弘 詩
いせひでこ 絵
講談社

17

## 俯瞰図から知る原爆の実体

東 直子

小学五年生の夏に引越した広島の学校では、授業の終わりに、みんなで歌を歌う習慣があった。『箱根の山』『気球に乗ってどこまでも』など楽しげな歌を数曲歌ったあと、「ふるさとの街やかれ」ではじまる『原爆を許すまじ』が最後に歌われた。（し、知らない曲だ……）と焦り、最初は口パクでごまかしていたがそのうちにすっかり覚え、今でも歌える。

このころ通い始めた書道塾で、那須正幹さんに出会った。まだズッコケ三人組シリーズを執筆する前の若き那須先生が、童話執筆のかたわら実家の書道塾を手伝っていたのだ。この広島の家で三歳のときに被爆した那須さんが、戦争という生涯のテーマに渾身の思いを込めて作った絵本『絵で読む 広島の原爆』（福音館書店）。原爆をテーマにした本は、各々の体験を元にした主観的な内容であることが多いが、この絵本は極めて客観的に、冷徹に、広島の原爆の実体に迫っている。

「以前から広島の原爆に並々ならぬ思いを持って」いたという西村繁男さんの絵も繊細で情熱的で、本当にすばらしい。現代の平和な広島の街の俯瞰図から入り、戦争の色濃くなる街、閃光の瞬間、地獄と化した街を亡霊のように歩く人々……と、続いていく。当事者の声を丁寧に聞いて反映した綿密な俯瞰図は、どのページも胸がつまる。

　さらに、なぜそんな爆弾が生まれ、落とされたのか、戦争と絡んだ原爆研究の過程と仕組みについて、その全体像と詳細なデータを知ることができ、多くの未知の目が開かれた気がした。「世界、とくにソ連に原爆の威力を誇示し、膨大な国家予算をつぎこんだ成果を米国民に納得させ、ひき続き核兵器開発の必要性をみとめてもらうためには、どうしても大戦中に、原爆を使用すべきだと考えていたからです」という米首脳の思惑を淡々と語る一文の背後から「こんな下らん理由で！」という怒りの声が聞こえた気がする。

　現在も続いている戦争というものの本質を考え、智恵を与えてくれる一冊だと思う。

『絵で読む
広島の原爆』
那須正幹 文
西村繁男 絵
福音館書店

18

# 上有政策、下有対策

東山彰良

台湾で反共教育を受けた私は、かなり大きくなるまで中国を地獄のような場所だと思っていた。なのに1993年の春に初めて訪れた彼の地は、幼い頃から教え込まれてきたような灰色で不幸な国ではなかった。北京には高層ビルが建ち並び、街には活気があって、そこらじゅうを高級外車が走り回っていた。

79年からはじまった改革開放政策、すなわち計画経済に市場原理を導入したことによって海外からの投資が爆増した。そのせいで銭金がものを言う世が到来し、汚職が蔓延した。政府はときどき反汚職キャンペーンを打っては自業自得の幹部を処刑したが、拝金主義は加速するばかりだった。中国には「上有政策、下有対策」という言い方がある。国に政策があれば、国民にはそれをかいくぐる対策があるという意だ。まさにこの言葉どおり、上から下まで社会主義をかなぐり捨てて金儲けに血道を上げていた。

月並みだが、国民は為政者が思うよりずっとしたたかだ。リュドミラ・ウリツカヤの『緑の天幕』を読めば、ロシア人がおとなしい羊の群ではないとわかる。抑圧的な旧ソ連時代に生きる人々の生活や反体制の夢が活写される。流刑や銃殺に処される危険を冒してでも読みたい本はどうにかして読むし、西側へ持ち出すべき原稿は「肛門・婦人科的トリック」を使ってでも（要するに秘所に隠してでも）持ち出す。残念なことにロシア政府のやり口はあのころとあまり変わっていないようだ。でも、だとしたら、この本に出てくるような愛すべき面従腹背の人々だって健在のはずだ。

ウクライナに侵攻してからというもの、ロシアではプーチンの支持率がかつてないほど高まっている。私に言えることがあるとすれば、それはこうだ。おい、ウラジーミル、あんたの国はスターリンの時代から「上有政策、下有対策」だったんだぜ。

ロシア人は馬鹿でも腰抜けでもない。正義を希求する人々のしたたかな対策が、国の愚策をひっくり返してくれることを切に願う。

Зеленый шатер
Людмила Улицкая
『緑の天幕』
リュドミラ・ウリツカヤ 著
前田和泉 訳
新潮社刊

19

# また、この絵本を拡げて。

ひこ・田中

署名も寄付もしたけれど、何かをしたという気にはなれず、わたしと「戦争」は遠く離れて、生々しい情報だけが入ってきます。わたしの思いは戦地には届きません。

久しぶりに一冊の絵本を取り出します。『ぼくがラーメンたべてるとき』（教育画劇）。長谷川義史、２００７年の作品です。男の子がラーメンを食べているとき、となりで猫があくびをして、猫があくびをしているとき、隣の家のみっちゃんがTVのチャンネルを変え、隣の家のみっちゃんがTVのチャンネルを変えているとき、隣の、隣のたいちちゃんがトイレで水洗のボタンを押していて……と、ぼくがラーメンを食べている同時刻に別の場所で起こっていることが次々と描かれていきます。隣の町、隣の国、向こうの国からそのまた向こうの国と、ぼくから遠くなり、「そのまたやまの むこうの くにで おとこのこが たおれていた」までたどり着き、再び、ぼくがラーメンを食べている姿で終わります。

わたしは、「ぼくがラーメンたべてるとき」に「その またやまの むこうの くにで おとこのこが たおれていた」というメッセージをこの絵本から強く受け取っていました。ですが、今回はもう一方に心が動かされたのです。それは、「そのまた

やまの むこうの くにで おとこのこが たおれていた」ときに、ぼくはラーメンを食べていることです。

遠くの国で男の子が倒れていても、ぼくはラーメンを食べていること。いや、ちゃんと食べなければならないのだと思いました。ラーメンを食べて、しっかりと動き、しっかりと眠り、そしてもし、自分の暮らしている場所が平和だと思えるなら、その平和を維持するために、自分自身の思考を磨くことで、時代の流れや、多数の雰囲気や、為政者の仕掛けに、場合によっては対峙もできる意志を手に入れること。決して虚無を引き寄せさせないために。

ところで、この絵本の裏表紙には、倒れていた男の子が立ち上がった姿が描かれています。それがこの作品の願いです。

『ぼくがラーメンたべてるとき』
長谷川義史 作・絵
教育画劇

20

# 高揚と戦争

深緑野分

戦争は人間の高揚状態からはじまる。国家が戦争へと突入する時、人は勇ましく歓喜の声を上げ、「国を守るために武器を取れ」「同胞を敵から救おう」「国益のために戦え」と叫ぶ。兵士はその声援を信じて戦場に赴き、人を殺す。

しかし高揚は決して特殊な状態ではない。例えばゲームの戦闘や、スポーツ観戦、ヒーロー映画、バトル漫画に冒険小説、勇ましい音楽、揃いのユニフォームで応援、などを体験する時、高揚はごく自然に湧き上がる。高揚はエモーショナルで熱い甘美をもたらす。もちろんそれ自体が悪いのではない。感動できるものがないと退屈だし、心が動くから、事故や災害時などに人を救ったり、ふとした場面で助け合ったりできる。こうしたエモーショナルな高揚は、人類が太古から持つ感情のひとつだ。これのおかげで仲間を思い、結束し、社会を良くすることもできる。

しかし私たちの持つ高揚は利用されやすく、特に権力者はこれを使いたがる。ナチスによる残虐な侵略戦争が可能になったのも、国民の感情をうまく操り、自分たちは特別な存在だと思い込ませることに成功したからだ。

高揚感につられて結束した人々は、国防を理由に「敵」への攻撃欲求を正当化し、他国への侵略や虐殺を容認する。国民の支持を得た国は軍事費を増やし準備を整える。世論が戦争支持に傾けば、反戦を訴える人は「非国民」と糾弾される。かつて日本も同じ道を歩んでしまった。

開戦すればもう平和解決は困難だ。戦争が可能な空気にしないために、誰かが高揚感や連帯感を煽ってきた時、「みんなもそう言うから」と同調せず、「今煽られているな」と気づける理性のブレーキを持っておきたい。その一助となるのが田野大輔著『ファシズムの教室 なぜ集団は暴走するのか』だ。大学の講義の一環としてナチスを体験する授業を行っている田野教授ならではの見解や、具体的でわかりやすい内容は、扇動に対する警戒の仕方を教えてくれる。

『ファシズムの教室
なぜ集団は暴走するのか』
田野大輔 著
大月書店

21

## 藤野可織

　戦争がはじまったとする。以前もやったように、この国が侵略戦争をはじめたとする。そうしたら、私はどんな小説を書くだろう？　もちろん、私は戦争中でも小説は書く。自分と家族を養うために書き、自分の欲求を満足させるために書く。原稿料をもらわねばならないのだから、書いても許される内容がどういうものなのか、今なにが求められているのか、私にはちゃんと把握することができる。戦前に比べて、その範囲はずいぶん狭くなってしまったと私は嘆くだろう。こういうのは私の思想とは相容れないと泣き言を言うだろう。それから、私は意外と奮起するだろう。戦時でも戦争に荷担せずに書けるものはあるはずだとか、戦時だからこそ書くべきことがあるはずだとか、そう自分に言い聞かせて。

『女性画家たちの戦争』は、第二次世界大戦期における日本の美術の中でも、これまで語られることのなかった女性画家たちの作品と活動に焦点を当てた研究書だ。時代の要請に加えて、時代が女に求める要請という二重の制約を課せられる女性の芸術家たちにとって、当時、戦争という非常事態はむしろ仕事を得るチャンスとなった。戦争は彼女たちから二重の制約を決して取り去りはしなかったが、少なくとも戦争というきっかけがなければできなかったことを、彼女たちはすることができたのだ。

女性画家どうしの連帯の様相を掘り起こし、作品のなかにひそむ男性中心社会に対する異議申し立てを順序立てて証明していく本書は、しかし、女性画家たちの仕事をただ称賛する類のものではない。彼女たちの仕事が基本的には侵略戦争を推し進めていく国家権力に与するものであったという事実を、本書は決して読者に忘れさせはしない。女性画家どうしの親交、仕事への情熱、男性社会への批判精神……それらは私にとっては好ましいばかりか、絶対的といっていいほど正しいものである。しかしこのような、泣きたくなるような正しさが、戦争という決定的に間違った盆の上で成立してしまうのだ。

私は戦争中でも小説を書く。ひそかに書くのではなく、発表し、原稿料をもらう。私は間違った盆の上で努力し、欲求を満たす。だから私は戦争がおそろしい。そうなる前に、私は戦争を拒否する。

『女性画家たちの戦争』
吉良智子 著
平凡社新書

22

# 私のとなり町戦争

文月悠光

　昨年2月、私は自宅近所の喫茶店で呆然としていた。ロシアによるウクライナ侵攻が始まったというニュースを目にして。この世界は一体どうなってしまうのだろう。思い出したのは、三崎亜記の小説『となり町戦争』のこと。冒頭、主人公はアパートの郵便受けに届いた広報誌で「となり町との戦争」がはじまることを知る。〈僕は迫り来る戦争に対して、何ら心の準備も、現実的な面での準備もできないままに、開戦の、九月一日を迎えた〉。町には兵士の姿も爆撃の様子もない。唯一の変化は、町の広報誌に掲載される「戦死者の数」が増えていくことだけ（コロナの感染者数が日々報じられる近年の状況と重なり、ぞっとする）。戦争が見えてこない。主人公が役場の「となり町戦争係」に訴えると、次のように諭される。

「戦争というものは、様々な形で私たちの生活の中に入り込んできます。あなたは確実に今、戦争に手を貸し、戦争に参加しているのです」

　このように本作では、戦争は「日常の延長」にある、ということが繰り返し語られる。では、見えない戦争とどう向き合えばいいのか？　私がはっとしたのは、このような語りだ。

〈僕は一人役場の前に立ちつくした。雀が鳴き、朝日が斜めにさしこむ、いつもと同じのどかな冬の朝だった。でもそれは「戦時中の雀」であり、「戦時中の朝日」なのだ。そう思うと、異質な響きと輝きを帯びて見えた〉。現実が非日常性を帯びるとき、いつもと同じ景色も「異質な響きと輝き」を放つ。詩や短歌の表現にも同様の異質さがあるだろう。

　私たちはつい「戦争＝当たり前の日常が即時に失われる」と考える。けれど本当に恐ろしいのは、「当たり前の日常」が続いているかのように、目の前の現実から目を逸らし、自分の感覚を殺してしまうことかもしれない。

〈実際の戦争は、予想しえないさまざまな形で僕たちを巻き込み、取り込んでいくのではないか。その時僕たちは、はたして戦争にNOと言えるであろうか。自信がない。僕には自信がない〉。

　私にも自信はない。だからこそ今、NOと言い続けねばならないのだ。

『となり町戦争』
三崎亜記 著
集英社文庫

23

## なぜならそれは「いいね」では語れないから

ブレイディみかこ

親と引き離され、ぬいぐるみを手に一人で歩いている子どもの動画が拡散されて「いいね」がたくさんついていた。複数の国がある国へもっと武器を送るという情報も多くの「いいね」を集めている。ある国は死亡した兵士の数を隠蔽していて実際には死者はもっと多いだろうという識者の意見にも夥しい数の「いいね」がついていた。

わたしはSNSをしない人間だが、たまに覗きに行くと（むしろたまに覗くからだろう）衝撃を受けることがある。いったいぜんたい、戦争で子どもが親を失うことや死者の数が増えることのどこがそんなにいいのだろう。「いいね」は英語にすると「Like」でもある。このリアクションは何かが圧倒的におかしい。

「暴力は人を孤立させる。ヤン＝フィリップ・レームツマが書いているように、それは人を孤独にし、『世界から振り落とす』のだ」。カロリン・エムケ著、浅井晶子訳の『なぜならそれは言葉にできるから』にはそう記されている。「いいね」ボタンを押す人々も、理解できない暴力を前にし、世界から振り落とされないようにそうするのだろうか。だとすれば、あの「いいね」は大量のSOSのようにも見えてくる。

暴力は日常の「こうであるはずだ」という約束を覆し、自分が世界で生きていく前提を壊すものだから、何が起こったのかを認識するのには長い時間がかかる。極度の不正と暴力は人間の語る能力を破壊してしまい、言語化を困難にさせる。スマホのスクリーン越しではなく、本当に暴力を経験した人々がその体験を語ることの意味とプロセスを考察した前述の書には、いま読むべきことがいくつも書かれている。あらゆる暴力に傷ついた人々に言葉を取り戻させるのは、時間をかけて聞き、語り合う努力であり、世界への信頼を取り戻す方法はそれしかない。瞬時に「いいね」を押し続けても、自分の中の根源的な混乱は鎮まらないのだ。

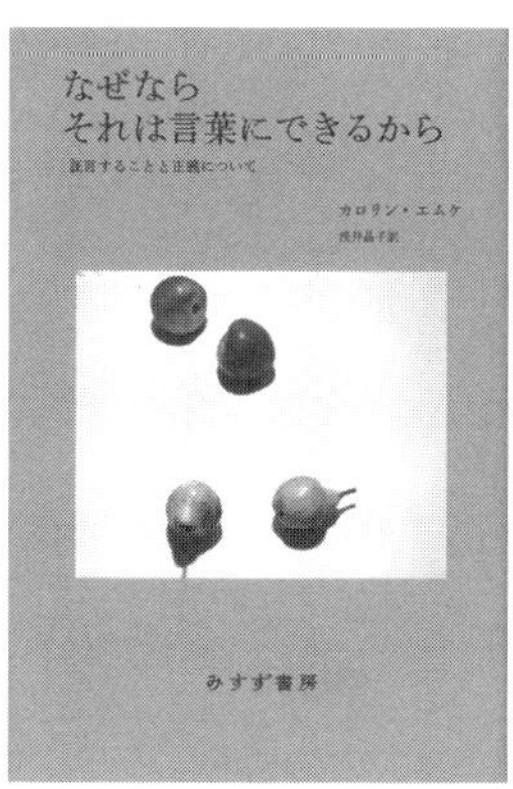


“WEIL ES SAGBAR IST: *Über Zeugenschaft und Gerechtigkeit*”
Carolin Emcke
『なぜならそれは言葉にできるから 証言することと正義について』
カロリン・エムケ 著
浅井晶子 訳
みすず書房

24

# 希望に頼らないことから希望は始まる

星野智幸

すべての希望は否定形をしている。否定形を取らない希望の言葉は、現実逃避でしかない。いったん起こってしまった戦争に対して、できることは非常に限られている。戦争を話し合いで解決した例は、歴史上ほとんどない。いずれも最悪な選択肢から、より最悪ではない道を探り当てることこそが、希望となる。そのためには戦争に至った要因を知る必要があるが、それは巷で説かれるほど単純ではない。文学の出番である。

21世紀ロシアの作家ミハイル・エリザーロフのダークファンタジー小説『図書館大戦争』(河出書房新社)は、失われた書物を求めて争う物語だが、今のロシアの人たちの目に映っているであろう光景が描かれている。

ソ連時代の社会主義リアリズム作家グロモフが遺した7つの書物は、退屈きわまりない凡作なのに、じつは恐るべき力を秘めていた。ある条件下で読むと、内容とは無関係に、読んだ者の心を変質させてしまうのだ。

例えば「記憶の書」と呼ばれる『静かな草』を読めば、読み手は自らの幸福な時代の記憶が湧き出して恍惚となる。その記憶が事実とは異なっていようとも、自分にはかけがえのない過去であるかのように感じられるのだ。

グロモフの本に洗脳された者たちはあちこちで結社を作り、互いの支配権と幻の「意味の書」をめぐって、血で血を洗う抗争を繰り広げていく。

グロモフ本は、SNSで拡散する陰謀論や歪んだ歴史観と捉えることができる。内容以上に、そこから得られる興奮に依存性があるのだ。グロモフ本に洗脳される者たちは皆、現実生活では苦境にあり、本によって「ソ連の実像ではなく、状況が違えばそうなっていたかもしれないソ連像」を植えつけられ、現実を破壊するための暴力を促される。まるでプーチンの示す「本来のロシア像」のようではないか。

著者のエリザーロフはウクライナで生まれ育ったロシア人であり、作中には「ソ連の一部だった時はウクライナは祖国だったが、ソ連崩壊で独立国になると祖国であり続けることができなかった」という記述がある。

結社のメンバーたちはグロモフ本の世界観の外に出られなくなるが、ロシアの人たちも今、同じ状況かもしれない。

БИБЛИОТЕКАРЬ
Михаил Елизаров
『図書館大戦争』
ミハイル・エリザーロフ 著
北川和美 訳
河出書房新社

25

# 闘いの重層性

穂村 弘

闘い、争い、といったテーマを突き詰めた作者の一人に漫画家白土三平がいる。『カムイ伝』『ワタリ』『サスケ』といった忍者もののイメージが強いが、その背後には、階級闘争のテーマがあるとされている。

例えば、「異変」では、領主に親を殺された百姓四兄弟の復讐が描かれるが、その中に奇妙なアプローチがあった。

「カエルのオスとメスを見わける法をみつけるのに3年かかったよ……それから7年カエルのメスというメスを殺したんじゃ」(「異変」より)

カエルのメスを殺すことが、何故領主への復讐になるのか。そこがこの話のポイントである。

また、妻を殺した領主に農民松造が復讐する『赤目』では、その手段として、カエルを殺す「異変」とは逆に、自らが死んでも赤目イコール兎の命を守る謎の宗教が作り出される。

「おっ赤目さまのお通りじゃ、土下座するんじゃ」(『赤目』より)

人々がその教えを信じたことが、兎の異常な繁殖を招く。そこから領主への復讐までの展開が興味深い。

いずれの物語でも、ドミノ倒しのような自然界の連鎖が、人間の闘いに利用されている。その根底にあるのは、動物たちの生殖や食物連鎖を巡る生存競争である。人間同士の争いとはまったく別の次元で、カエルにはカエルの、兎には兎の、虫には虫の、植物には植物の、ウイルスにはウイルスの闘いがある。白土作品においては、そのような闘いの重層性が常に意識されている。

「異変」
『忍法秘話弐
栬鰾僄潢《イシミツ》』所収

『赤目』

26

# 太宰の感じたあほらしさ

町田 康

太宰治は昭和21年6月に発表した、「苦悩の年鑑」という題の短編の冒頭に、「時代は少しも変わらないと思う。一種の、あほらしい感じである」と書いた。この文章は太宰の幼少時よりの思想の遍歴を記した文章であるが、この、「あほらしい感じ」とは、幼少時の太宰にまで影響を及ぼした大正7、8年の「デモクラシイ」の思想と、昭和21年の、自由化民主化を標榜する「新思想」になんらの違いもないことから、その底の浅さに半ば呆れて書いたものと思われる。

そしてまた、「私の最も憎悪したのは偽善であった」と書いた。

その4月に発表した、「十五年間」と云う、こんだ、ここまで書いた作品を振返った短編では、「私はサロン芸術を否定した。サロン思想を嫌悪した。要するに私は、サロンなるものに居たたまらなかったのである」と書いている。サロンというのは本来、教養ある人が集まって文化的芸術的会話を交わす場所のことらしいが、太宰が言う場合は、「俺らっていい感じだよねー」と互いに承認し合いながら嘘と偽善を撒き散らす屑仲間のようなものを指している。具体的に言うと太宰は、「それは、知識の『戦時日本の新聞』である」と書いている。そして、「天才の誠実を誤り伝えるのは、この人たちである。そうしてかえって、俗物の偽善に支持を与えるのはこの人たちである」と書いている。

このふたつの短編には当時の日本の指導層に対する直接の批判が書かれて在るので、その文脈で読むことはできるが、「あほらしい感じ」そして、「この人たち」そして、「俗物の偽善」が、その文脈とはまた別の文脈で書かれていることは明らかであろう。

このとき太宰の声は小さかった。同じ時、大きな声を出していい気持ちになっている者がいた。そしてその者はどの時代にもおり、それがあほらしいのである。「戦争がすんだら急に、東条の悪口を言い、戦争責任云々と騒ぎまわるような便乗主義を発揮する」クズ野郎をどつき回したいもんじゃのう。暴力反対。「話し合いで解決しろ!」「無理っ」

『グッド・バイ』
太宰 治 著
新潮文庫刊

27

松田青子

幼少期にその存在について知ってからというもの、戦争が本当にこわくて恐ろしくて悲しくて信じられなくて理解できなくて憎くて嫌いでいやでたまらなかった。大人になった今もその気持ちは少しも変わらない。戦争ほど、自分の無力さを思い知らされることはない。理不尽なことや不条理なことがこの世界にはたくさんあるが、戦争という理不尽さと不条理の極みを前に、私はいつも自分の無力さに打ちひしがれてしまう。どうしてどうしてどうしてどうして、が頭の中でぐるぐる回り続ける。

どうしてどうしてどうしてどうして、の極限状態の中で生き残る道を探る人々を描いた『キャッチ=22』は、第二次世界大戦末期、イタリアのピアノーサ島にあるアメリカの空軍基地が舞台だ。主人公のヨッサリアンのたった一つの望みは、生き残って家に帰ること。しかし、「キャッチ=22」という不条理な軍規がそのシンプルで切実な望みを不可能にしている。

物語に登場する人たちは、それぞれのサバイブの方法を編み出していて、私が尊敬している登場人物はオアだ。また、戦争に加担することで成果を上げる者もいる。「偉大な臆病者」であるヨッサリアンは、「永久に生きようと、あるいはせめて生きる努力の過程において死のう」と心に決め、人々が「状況の犠牲」になるシステムを憎み、どれだけ心身が追い詰められても、信念だけは決して譲らない。戦争を、戦争をしたい人たちのことを、戦争を可能にするシステムを、おかしいおかしいおかしいおかしいおかしい、とひたすら愚直に言い続け、抵抗し続ける。正義感からではなく、それはただ、おかしい、からだ。この小説の中で起こること、その一文一文に私は救われ、現状に抗う持続的な力をもらってきた。おかしいことだらけの世界で、どうしてどうしてどうしてどうしてどうして、の中で悲しみ、怒り、混乱し、絶望しながらも希望を捨てたくない人たちに、この本を読んでもらいたい。

"*Catch-22*"
Joseph Heller
『キャッチ＝22〔新版〕』（上・下巻）
ジョーゼフ・ヘラー 著
飛田茂雄 訳
早川書房

28

# 狂気の生き延びる道を

宮内悠介

　ほとんど誰もが同じ「正解」を唱えているときは念のため身構えたい。でもそれが侵略戦争を利するだろうことや、また多くの人は純粋な気持ちからウクライナを支援している点は踏まえたい。その上で自分については、純粋な気持ちを捨ててでも、感情を動員されることには抗いたい。そういったことをこのごろ考える。なぜか。将来、戦争協力をしないためにだ。今後さらなる危機において、本来それを言うべきタイミングで、戦争反対のたった一言が言えなくなる事態を避けるために。

　そう思うのは、文人たちが過去に戦争協力をした歴史がちらつくからだ。彼らは別に馬鹿ではない。ささやかながら抵抗もあったというのが、本書『戦争と歌人たち』（篠弘）の示すところだ。ここにあるのは、近代歌人の自由主義やヒューマニズムの類いが、それでも世の趨勢に負けた歴史でもある。自分もそうなるかもしれない、と思っておくのがとりあえず無難な線だろう。

　この点において、ぼくはあまり自分を信用していない。なるほど治安維持法や大政翼賛会はできないかもしれない。でも、外堀を埋められれば人は変わる。空気を考慮して言わなかったことは一つもないか。ぼくはある。ウクライナの可哀想な写真を見なかったのか。おまえは連帯しないのか。そうした声に押しやられるうち、平和の定義が後退していないか。ゼレンスキーのやりかたには危うさがあると、それだけのことさえ言えなくなってはいないか。

いまある純粋な気持ちとて、感情を動員された先では、容易に戦争協力に反転しうる。反戦の機運さえも。いま起きていることは、平和を望む気持ちが、平和とは別のものに向かわされるまさにそのプロセスに見える。それに抗えるのは、たぶん狂気に近い何かだろう。だからぼくは現状で正解を求めない。希望を唱えない。一人で狂気を育む。すべては、次の戦争協力歌を書かないために。

『戦争と歌人たち
ここにも抵抗があった』
篠弘 著
本阿弥書店

29

# 文体は奪えない

森 絵都

戦争は人間から多くのものを奪う。何もかも奪う、と言ってもいいほどに。けれど、個々の内なる世界の中には決して何ものにも奪うことができないものもある。それを私に教えてくれたのが『日本大空襲 本土制空基地隊員の日記』（原田良次著）だった。

太平洋戦争絡みの本をここ数年で200冊以上読んできた。本書も最初は資料として手に取った。B29が初めて東京を襲った昭和19年11月1日から終戦にかけてを一整備兵の視点から綴った日記。のはずが、読みはじめてすぐに「これは何だ？」と瞠目した。記録の域をこえて文章が美しいのである。

たとえば、冒頭の一文にはこうある。〈基地の飛行場を、かこむようにつらなる秋の草むらには、こぼれるような白い野菊が咲き乱れ、この下総台地の周辺の村々は今、収穫の秋をむかえて、秋酣なり。〉又、昭和20年1月10日の空襲はこう記されている。〈飛行場を出ると、空に残月がかかり、寒風身をさす。東京の空には照空隊の光芒が網目のように交叉し、天空をかけめぐり、その一つの光芒の中に、白く敵機影をとらえたのを見た。〉

この文体が日記全体を通して貫かれているのである。日に日に空襲が激化しようとも、東京が壊滅しようとも、死がすぐそこまで迫り来ようとも、作者の筆が奏でる詩情豊かな調べは揺らがない。これは彼の闘いなのだと、ある時点で気がついた。非人間的であることを要求される狂気の時代に、自分が自分であり続けるための闘争。敗戦間近の困窮の底ですら自由時間にはドイツ語文法を学び続けた彼は、その意志を刻すようにこう書き残している。〈私はいまでも、ただ戦争だけに熱中する軍人になりきるのはいやだ。〉

もしも再び有事の世となれば、誰かが私から大事なテーマを奪っていくかもしれない。彼らにとって不都合な言葉を奪っていくかもしれない。しかし、文体は奪えない。文体とは、即ち、生きる姿勢である。

『日本大空襲
本土制空基地隊員の日記』
原田良次 著
ちくま学芸文庫

# 20

## It will resonate　詩の本特集

さて、今回の特集は「詩」……といっても、19世紀イギリス生まれで児童書も書いているデ・ラ・メア、戦後を代表するドイツ系ユダヤ人の詩人で独特の詩を書いたパウル・ツェラン、ノーベル平和賞を受賞しながらも獄中で死を迎えた劉暁波、スリランカ生まれで先鋭的な詩集で脚光を浴びながらもその後、小説に移行してブッカー賞を受賞してしまうマイケル・オンダーチェ、2020年にノーベル文学賞を受賞したルイーズ・グリュックなどの文学文学した詩人の作品もあるし、ロックやラップの歌詞がらみの本もあるし、最近英語圏で注目されている散文詩の形のヤングアダルト作品もある。

編集者ふたりの好きな作品を並べたらこうなりました、という感じのラインナップ。見事にごちゃごちゃだけど、「詩」といったって、こんなに広いんだぞという面白さ、楽しさを味わってもらえればいいと思う。

とくにぼくは詩が好きで、小説とどちらが好きかと問われれば、即座に「詩」と答えるほど詩が好きだ。だから「BOOKMARK」を始めたときから、絶対にこういう特集をしようと考えていた。それがやっと実現した。

斉藤倫さんの『ポエトリー・ドッグス』は、まるでこの企画を予想していたかのようなタイムリーな出版で、読んですぐに、巻頭エッセイをお願いした。

どうか、世界に平和を、そして詩を！

（金原瑞人）

# 詞と詩のあいだにあったもの

斉藤 倫

語学がとくいなんてことはまるでなくて、それでもなぜか翻訳するのが好きで、それはことばオタクのようなぼくの性質からきているんだとおもう。十代、二十代の、暇しかないころに、辞書をひきながら、洋楽の歌詞をひたすら訳していた。だれに頼まれたわけでもなく、まるで答えのないクロスワード・パズルを永遠にいじくりまわすように。

たとえば、ニルヴァーナの有名曲。Helloではじまる、単純なサビのフレーズで、九〇年代の内臓みたいなものをつかみだしている。その単純さゆえに、すごく日本語におきかえにくい。気軽な挨拶に似た底しれぬ絶望を、そこなわずに訳すのは、むずかしくて楽しかった。

ビースティ・ボーイズのFight for Your Rightなんかも、そうだ。ぼくのルールとしては、おなじメロディで歌われる詞どうしは、おなじ拍数になるように訳す。韻をふんでいるところは、韻をふむ。リフレインも反映する。英詞の拍数や韻にあわせるんじゃなく、構造だけをうつしかえることで、「詞」が曲からきりはなされ、「詩」の音楽性となる。そのうえで、ビースティのやんちゃでどこか知的なかんじを再現しようとした。

ボブ・ディランや、ジョニ・ミッチェルみたいに、詩として完成された歌詞に、食指がうごかなかったのは、「詞」から「詩」が現れる、錬金術みたいな瞬間に、謎の気もちよさをかんじてたんだとおもう。

時間はむげんで、なんとでもとり返しがつく気がしていたころはとうにすぎて、それでもときどき、この私訳をやってしまう。その無為さゆえに、じぶんの核のようなばしょに根がらみしているとわかる。

ジョン・レノンの「イマジン」とか、ビリー・ジョエルの「素顔のままで」、ザ・ポリスの「見つめていたい」、クイーンとか、デヴィッド・ボウイとか、だれもがしる、キラーフレーズをどう訳すか。たとえば、名だたる翻訳家のかたがたが、フリップで大喜利をするのを見てみたい。「こう訳したか！」「さすが！」みたいなイベントが、もしあったら、ほんとかぶりつきで。

『ポエトリー・ドッグス』
斉藤 倫
講談社

01

"*The Poet X*"
Elizabeth Acevedo

『詩人になりたいわたしX』
エリザベス・アセヴェド 著
田中亜希子 訳
小学館

15歳の女の子シオマラは、NYのハーレムに住むドミニカ移民二世。父をパピ、母をマミ、とスペイン語でよぶなど、そのくらしにはドミニカ文化が入りこんでいる。シオマラは、信仰やジェンダーや恋愛について自分の価値観を押しつけてくるマミとうまくいっていない。女らしい体つきが注目されるようになってからは、周囲とあまり口をきかなくなった。心の内を吐き出す唯一の場所が、ノート。気持ちを詩にして書いていたのだ。そんなシオマラがSW《スポークンワード》P《ポエトリー》（詩を覚えて人前で語るパフォーマンスアート）に出会う。自分の詩を語る？　ムリ！　そう思ったシオマラだったが、新しい世界にどんどんひかれ……！

物語は、主人公の書いた短い詩が並ぶ形で時系列に進む。15歳の言葉で語られる詩は、ストレートだ。例えば最初の詩は、一行読むごとに、ハーレムの風景がみるみる立ち上がり、スペイン語のおしゃべりや音楽が聞こえてきて、シオマラの気持ちがすっと伝わってくる。全米図書賞やカーネギー賞など英米の主な児童文学賞を総なめにした本書のキーワードは、言葉の力。SWPの競技〈スラム〉の全米大会優勝者でもある作者の技が冴え渡る。YAの王道をいくこの作品、ぜひご堪能ください。

（田中亜希子）

02

*"On the Come Up"*
Angie Thomas

## 『オン・ザ・カム・アップ いま、這いあがるとき』

アンジー・トーマス 著
服部理佳 訳
岩崎書店

ブラック・ライブズ・マターを描いて全米で大きな話題となった『ザ・ヘイト・ユー・ギヴ　あなたがくれた憎しみ』（アンジー・トーマス著）の姉妹編。本作の主人公は、地元ラップ界のレジェンドだった父親をギャングの抗争で失い、ドラッグ依存症と闘う母親を支えながら、貧困に苦しむ家族を救うためラッパーを目指す少女ブリ。黒人に偏見を抱く学校警備員にいわれのない嫌疑と暴力を受けたブリは、ラップに不公平な世間への怒りを込めて歌うが、その曲が批判の的になってしまう——。元ラッパーの経歴を持つ作者によって作中にちりばめられたラップが、ストーリーを牽引する重要な要素となっている。前作同様メッセージ性は高く、2019年ボストングローブ・ホーンブック賞フィクション部門オナーを受賞。銃殺された父親、ドラッグに溺れていた母親、食事もままならない貧困と、設定はかなり重いが、主人公はあたたかい家族の愛に包まれながら、どん底から這いあがっていく。大ベストセラーとなった前作に引けをとらない名作だ。（服部理佳）

03

『エレベーター』
ジェイソン・レナルズ 著
青木千鶴 訳
早川書房
"Long Way Down"
Jason Reynolds

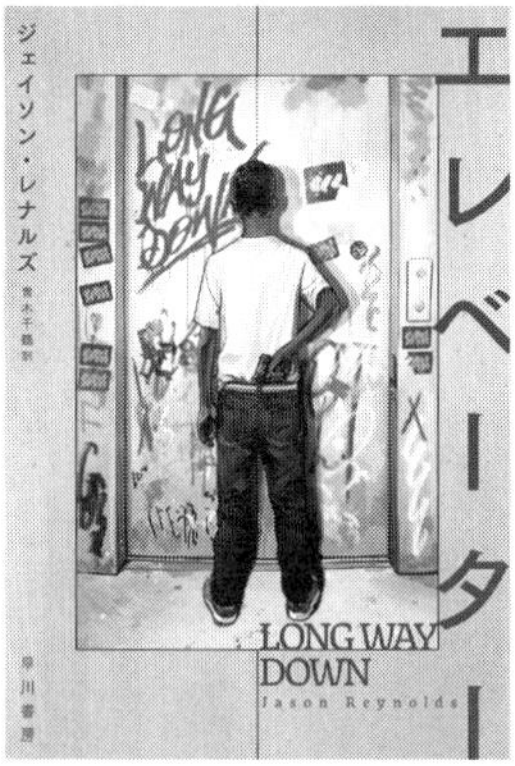


大好きな兄さんが、銃で撃たれて殺された。15歳の少年ウィルは、兄の遺品である拳銃をたずさえて、復讐に向かう。ところが、エレベーターが8階から1階へおりるまでのわずかなあいだ、各階でとまるたびに乗りこんでくるのは、出会うはずのない「何か」ばかりだった……。ウィルはこの出会いに何を思うのか。復讐という負の連鎖を絶ち切ることはできるのか。

自分自身も、親友を撃ち殺された過去を持つという著者。その著者が紡ぐ物語は、ひとりでも多くの若者に声を届けたいという、切実な思いにあふれている。詩の形をとった素朴な語り口からも、タイポグラフィを駆使した斬新なレイアウトからも、その思いがひしひしと伝わってくる。記号をかたどってみたり、あちこちの隅へ追いやってみたり、1ページとして同じ配置のない文字列は、怒りや悲しみ、恐怖で押しつぶされそうになっている少年ウィルの心の揺らぎを、視覚の面からもじかに訴えかけてくることだろう。

新たな読書体験に興味がおありの方にも、ぜひ。

（青木千鶴）

04

*"The Wild Iris"*
Louise Glück
『野生のアイリス』
ルイーズ・グリュック 著
野中美峰 訳
KADOKAWA

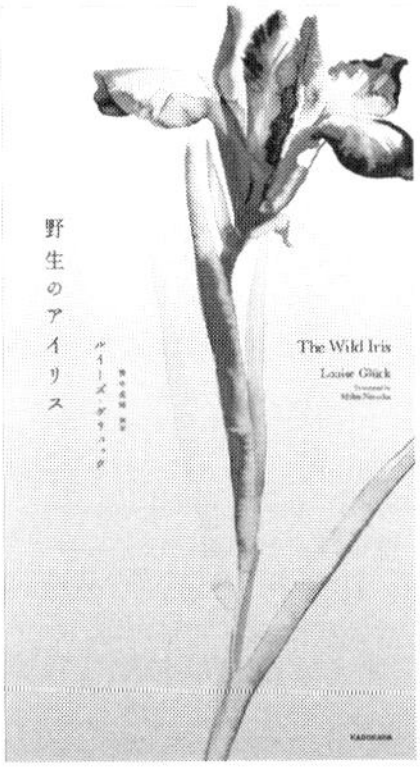


詩が書けず悩む私に「書けない時期があっていい」と詩の先輩がいった。「ルイーズ曰く、沈黙の時間も大事なんだから」。

訝しげな私に、いつか3人でお茶を飲みましょう、と先輩は美しく微笑み、詩人ルイーズ・グリュックの名前は私の意識にはっきりと刻み込まれた。もう20年以上前のこと。

2年間何も書けなかったグリュックがたった2ヶ月で書き上げたこの詩集は、「苦しみの果てに／扉があった」というアイリスの声で始まる。冬中無言だった球根が、地上に顔を出し、花を咲かせ、新しい声を獲得する再生のドラマ。それは同時に長い沈黙の期間に耐え、花の声で詩を書き始めた詩人の姿でもある。詩集の存在自体が苦しみの果てに現れた一つの扉なのだ。

私は今までグリュックが魂の状態を探る詩人だと思っていた。この一冊を訳してわかったのは、彼女が身体を伴う魂の詩人だということだ。花たちは気まぐれな神の抽象的なアイデアではない。色や匂いを放つ体は「今・ここ」にあり、だからこそ私たちはその生き生きとした喜びや恐怖、切実な魂の祈りに心を揺さぶられる。

（野中美峰）

05

## 『独り大海原に向かって』

劉 暁波 著
劉 燕子／田島安江 編訳
書肆侃侃房

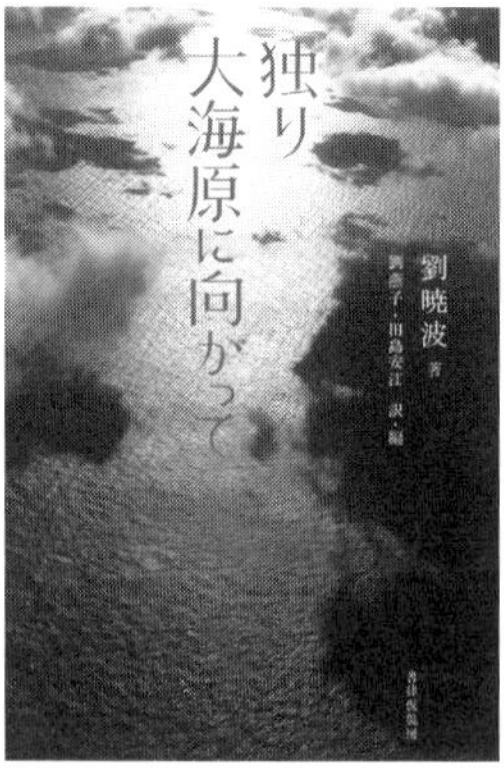


劉暁波が没して5年以上が過ぎた今、世界はますます緊張度を増している。08憲章の起草者として投獄され11年の刑が確定。2010年ノーベル平和賞を受賞したが出席は叶わず。詩集『独り大海原に向かって』を私は劉暁波の遺書と呼んでいる。圧巻は「天安門事件犠牲者への鎮魂歌」。30年経っても1989年6月4日の天安門事件の全貌は明らかにされていない。広場を埋め尽くした若者たちは一斉射撃を浴び、戦車に轢き殺された。毎年、六・四には劉暁波の追悼詩がネット上にアップされ、彼の死まで続いた。無残に殺された若者たちの死を無駄にしないためにも劉の詩を読んでほしい。

　彼の詩を読むたびに自分の無力さに気づく。劉もまた、毎年、自身の無力さに歯ぎしりしながら、言葉だけで闘い続け力尽きた。昨年暮れ、中国でゼロコロナに抗議して全国一斉にデモやストライキが起こり、天安門事件の再来かと騒がれた。何かあれば、一斉に火の手が上がり、また収まる。世界の紛争地はどこも同じ。だが、命がけで遺した彼の詩は今なお私たちに武力では決して平和は訪れないと告げている。

（田島安江）

06

"*Peacock Pie*"
Walter de la Mare
Edward Ardizzone

『詩集 孔雀のパイ 改訂版』
ウォルター・デ・ラ・メア 作
エドワード・アーディゾーニ 絵
間崎ルリ子 訳
瑞雲舎

「だれかがドアをノックした」と私が口にしたとたん、きいていた子どもたちがハッと、図書室の入り口のドアのほうをふり返りました。ある小学校の四年生のクラスにおはなしをしに行った時のことです。

瞬時にしてきいているものの耳と心をとらえ、いや応なくその詩がつくり出す世界の中にさそい込むという特質を、デ・ラ・メアの詩の多くが持っているように思います。「だれか」や、「ああ、なんと！」、「戸棚」などの幼い心にすぐ響く詩から、「コマドリ城の夜盗」のような物語詩、「小さな緑の果樹園」や、「ニコラス・ナイ」のような田園詩とでもいえるような雰囲気の詩、そして「妖精」、「メルミロ」、「影の歌」などのファンタジーあふれる詩、「だれも知らない」、「いつか」のような思索をさそうような詩などなど、デ・ラ・メアという詩人は何と豊かで深い世界を私たちに見せ、体験させてくれることかと思います。

詩は目で読むより耳から聞いて楽しむものだと思います。声に出して、耳からことばの響きを感じながら味わってほしい詩集です。

（間崎ルリ子）

07

"*The Dreamer*"
Pam Muñoz Ryan
Peter Sís

『夢見る人』
パム・ムニョス・ライアン 作
ピーター・シス 絵
原田 勝 訳
岩波書店

ノーベル文学賞を受賞したチリの詩人、パブロ・ネルーダ（1904-73）が、まだネフタリ・レジェスでしかなかった幼いころの日々を、自伝に残されたエピソードをもとに、若い読者むけに描いた作品。ところどころに原作者パム・ムニョス・ライアンの詩をはさみ、ピーター・シスのイラストをふんだんに用いて、ネルーダが「希望の色」と称して好んだ緑色のインクで印刷した美しい本です。

雨の多いチリの山すその町で育った幼いネフタリは、男は強くあれと求める父親から厳しいしつけを受けながらも、自然や周囲の人・物への温かい眼差しを育み、空想の世界に想いを馳せる「夢見る人」でした。美しい物への賞賛は詩人としての素地となり、弱者への共感はのちの政治活動へとつながっていきます。この作品では、そうしたネルーダという人物の萌芽がネフタリ少年の目を通して描かれ、人間の優しさや繊細さ、想像力の可能性を肯定しています。巻末にはネルーダの詩も収録。イラストも、フォントや印刷、装幀も、まるごと詩心にあふれた一冊です。（原田 勝）

08

“*Dead Poets Society*”
N. H. Kleinbaum

『いまを生きる』
N・H・クラインバウム 作
丹地陽子 絵
佐々木早苗 訳
ポプラ社

一九八九年に公開されたアメリカ映画のノベライズ本。映画で主演のキーティング先生役を務めたのは、名優ロビン・ウィリアムズ。アカデミー賞で脚本賞を受賞した作品だ。

一九五九年、アメリカ、バーモント州の厳格な名門寄宿学校に、型破りな英語教師ジョン・キーティングがやってくる。彼は詩や小説を「人間の生きる糧」だと熱く語り、「いまを楽しめ。人生をすばらしいものにするんだ」と生徒たちを鼓舞し続ける。それに影響された七人の生徒が、学生時代にキーティングが作った〈死せる詩人の会〉を復活させる。彼らはひそかに寮を抜け出し、古い洞窟に集まっては、詩を書いたり、朗読したりをくり返す。こうして詩を通じ、生きる喜びを追求していくうちに、恋や芝居に心を奪われる者も現れる。この時代、それまで親や学校に逆らいたくても逆らえなかった若者たちが、「自由に生きる」ということについて考え始めるのだ。

しかし、今も昔も自由に生きるのはむずかしい。それでも、最後に次々と机上に立つ生徒の姿に、自由という芽のたくましさを感じずにはいられないはずだ。（佐々木早苗）

09

*"Paul Celan Gesammelte Werke" and others*
Paul Celan

## 『パウル・ツェラン全詩集 I・II・III』

パウル・ツェラン 著
中村朝子 訳
青土社

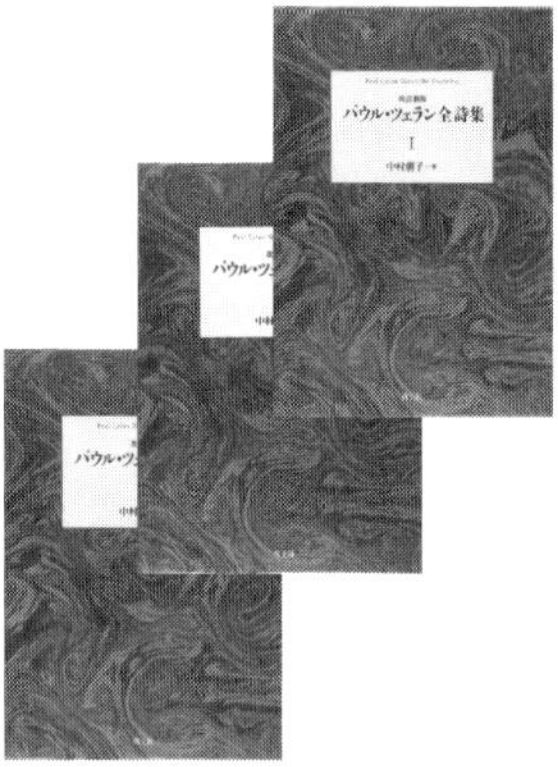


パウル・ツェランは1920年、旧ハプスブルク帝国領ブコヴィーナ地方に東欧ユダヤ人として生まれ、両親・知人・友人を強制収容所で失い、彼自身は労働収容所での過酷な肉体労働を体験した。後半生はパリでドイツ語による詩を書き続け、1970年、セーヌ川に投身自死した。彼は詩作によってホロコーストの記憶を忘れ去られることから救おうとした。彼の記憶はユダヤ人だけでなく、すべての不条理な運命を背負わされた者たちの記憶へと普遍化されていく。それとともに彼の詩の言葉はどもり、つかえ、切れ切れとなり、詩の言葉そのものに想起される者たちの蒙った苦痛がくっきりと刻印されていく。そうしたツェランの詩は確かに近づきやすくはない。だがツェランは詩を独白ではなく、あくまで対話として書いた。ツェランの詩においては自分自身、愛する者たち、神、イスラエルだけでなく、読者もまた「お前」と呼びかけられる。ツェランの詩の読者は死者たちの記憶を共有することによって、互いに結びつき、真に人間的な社会を生みだすことが求められているのである。

（中村朝子）

10

『ビリー・ザ・キッド全仕事』

“The Collected Works of Billy the Kid”

Michael Ondaatje

マイケル・オンダーチェ 著

福間健二 訳

白水Uブックス

『ビリー・ザ・キッド全仕事』について、いままで言ってなかったことをひとつ言うと、これを訳したとき、詩を書きながら映画を撮りたくてしかたなかったぼくにとって、詩人オンダーチェが小説に向かっていく過程で生まれた作品であること以上に、あたかも映画を作るように「編集」された作品だと感じたことが大きかったかもしれない。ビリー・ザ・キッドの物語は語りつがれ、すでに何度も映画になっていた。オンダーチェ自身の、スリランカの金持ちの家に生まれてからカナダの詩の世界に仲間入りするまでの感情的な起伏が、それにどうクロスするか。勝負のひとつはそこにあったと思う。のちに『映画もまた編集である』という本も出すオンダーチェの、不必要なものを切りすてて出会うべきものを確かに出会わせる「編集」の方法が功を奏している。切り離されているものをつなぐのが「編集」だとして、それによってビリーの生きた世界をひとりが見ているのではない夢として再構成しているのだ。（福間健二）

『지금 장미를 따라 - 문정희 대표 시선』
문정희

『今、バラを摘め 文貞姫詩集』
文貞姫 著
韓成禮 訳
思潮社

詩人の高橋睦郎は「文貞姫《ムン・ジョンヒ》は、たまたま韓国の地で生まれただけ。彼女の本当の故郷は詩の国なのだ」とかつて評した。韓国の女性詩人の中で、文貞姫は世界でもっとも知られる詩人だろう。韓国的な感覚とともに、誰もが共感できる詩語と感性を持ち、その作品は国境を超えて愛されている。彼女は、身体にまつわる道徳的観念を否定し、大胆な文体を用いて女性の実存的・社会的自我を形象化してきた。韓国において、ジェンダー問題に直接踏みこんだ初めての詩人と言えるのではないか。さらに、ジェンダーやフェミニズムにとどまらず、生命意識と結びつけた女性性として表現しているのも特徴だ。男性中心、西欧中心の価値観は、世界や環境、人間の精神を荒廃させており、それを女性の柔らかな力で生き返らさなくてはならない、そして人間と自然、人間同士の間で生命の結びつきを深めなければならない、という世界観である。資本に支配された身体、エロス的な身体、子を生む身体など、さまざまな角度から女性の身体を描き出し、女性という存在に光をあててきたのである。

（韓成禮《ハン・ソンレ》）

12

*"The Rose That Grew From Concrete"*
Tupac Amaru Shakur

『ゲットーに咲くバラ
2パック詩集 新訳版』
トゥパック・アマル・シャクール 著
丸屋九兵衛 訳
PARCO出版

同業者に尊敬される音楽家がミュージシャンズ・ミュージシャンなら、高名な詩人ニッキ・ジョヴァンニに讃えられ、やはり誉れ高きマヤ・アンジェロウとの邂逅もあったトゥパック・アマル・シャクールは、ポエッツ・ポエットだろうか？　もちろん彼は96年に25歳の若さで銃殺された「2パック」、1000万枚売上アルバムが2作もある人気ラッパー。だが、件のニッキもマヤも音楽を発表してきた身、「詩とは音楽」「音楽とは詩」という当然の事実を改めて教えてくれる交流でもある。本書はそんなトゥパックの詩集、ラッパーとして歩み始めた10代末の彼がポエトリー・ワークショップで書いた作品を集めたもの。のちの「ギャングスタ」イメージとは程遠く、歩道のひび割れから生えた薔薇に自分を重ね合わせるほど青臭い若気の暴走がここにある。だがその若造は、キューバ亡命者も輩出したブラックパンサー党の幹部一族出身で、米共産党に関与し「マルコムXの後継者」を自認する社会派詩人。自国をAmeriKKKaと呼ぶ彼の言葉からは、未完の黒人解放運動が匂い立つ。

（丸屋九兵衛）

13

*"The Motherlode: 100+ Women Who Made Hip-Hop"*
Clover Hope

『シスタ・ラップ・バイブル
ヒップホップを作った100人の女性』
クローヴァー・ホープ 著
押野素子 訳
河出書房新社

ヒップホップで育った女性が、カルチャーの中で自分をどうとらえ、身の回りで起きていることをどう見てきたか？女性アーティストの視点を通じて、ヒップホップの物語を伝えることに主眼を置いた画期的な一冊。もちろん、著者もイラストレーターも黒人女性だ。

　女性ラッパーが100名以上紹介されており、240ページにおよぶそのボリュームからも、女性ヒップホップの歴史はこれまで「語られていなかった、書かれていなかった」だけであることが分かるだろう。

「男性優位な業界の中で奮闘してきた女性たちの歴史書」としても、「女性ラッパーの略歴や代表曲のデータベース」としても、「女性ラッパーのイラスト集」としても楽しむことができる本書だが、詩の魅力を味わえるのはテーマ別に抜粋されたリリックのコーナーだ。「卑猥なリリックの数々」、「歌の中でお金を要求する女性たち」など、「声に出して読めない英語」の最たるものではあるが、これぞリアル・ヒップホップの真骨頂。下品だと敬遠せず、彼女たちの生命力、ユーモア、反骨精神、知性を感じてほしい。

（押野素子）

14

『ロックの英詞を読む——世界を変える歌』

ピーター・バラカン 著

集英社インターナショナル

日本では洋楽好きの方でも多くの人は英語の歌詞が分からないと言います。それは無理もない話ですが、その結果サウンド的な魅力とは別に歌われている内容が注目に値する夥しい数の曲が十分に認知されずに終わります。自分が歌詞に感激した曲を一人でも多くの方に知って欲しい気持ちから書いたのが『ロックの英詞を読む—世界を変える歌』でした。

実は本のタイトルに若干嘘があります。「ロック」ばかりではなく、ソウル、ブルース、フォーク、ジャズ、レゲェの曲まであり、テーマ的には人種差別、戦争反対、偽善、不理解などがあります。こういった題材の曲を作るソングライターたちは英語圏では皮肉を用いることが多いので、ネイティヴの英語話者以外には分かりにくいです。この本では例えばランディ・ニューマンやモーズ・アリスンのような皮肉の達人たちの原詞にぼくの翻訳を並べ、分かりやすく解説を加える形でその表現の素晴らしさを伝えようとしました。また英語特有の韻の踏み方は日本人にはなかなか気づかれない要素ですが、韻をうまくこなすことがソングライターの評価を左右するものなので、その技法にも触れています。

（ピーター・バラカン）

15

『あの犬が好き』
シャロン・クリーチ 著
金原瑞人 訳
偕成社

"Love That Dog"
Sharon Creech

ぼくは日本語の詩は大好きなのだが、英語の詩が苦手だ。とにかくわからないのだ。日本語の詩とはとても仲がいいのに、なぜ、英詩がこれほどぼくによそよそしいのだろう。しかし、事実なのだからしょうがない。

ところが、この本を読んだとき、うれしくてたまらなくなった。「詩なんて、女の子のもんだよ、そんなもの書けない」といってた男の子が学校で有名な詩を読まされて、わかんないわかんないといっているうちに、なんとなくなじんでいって、自分でも詩を書くようになる。なんとなくぼくと英詩の関係に似ていて、それが楽しくて、所々に差しはさまれる「名詩」もわからないなりに訳していった。そしてこの作品の最後がまた、かわいくて、切ない。じつは斉藤倫さんの『ポエトリー・ドッグス』ときれいに重なるのだ。

英詩アレルギーが少しましになったのは、この本のおかげだ。「えーっ、詩？」と思っている人にこそ読んでみてほしい。この本を訳さなかったら、最果タヒさんの力を借りて、サラ・クロッサンの『わたしの全てのわたしたち』にチャレンジすることもなかったと思う。　（金原瑞人）

16

*"Toffee"*
Sarah Crossan

『タフィー』
サラ・クロッサン 著
三辺律子 訳
岩波書店

これはぜったいに横書きで訳したかった。

父親から逃れて家を出た高校生アリソンが逃げこんだ先は、認知症の老女マーラが一人で暮らす古い一軒家。そこから二人の奇妙な同居生活が始まる。マーラは、アリソンのことを若いころの親友タフィーだと思いこんでいるようだ。でも、彼女の記憶はまだらで、とつぜん何もかも忘れてしまったりもする。

記憶が少なければ、そのぶん
やさしくなれるのかもしれない
　嫌な人間になった理由を忘れるから。
　わたしたちとはちがって
マーラはその日その日を生きている
夢や不安にとらわれることなく。

詩の形でなければ、DVや認知症、貧困といったテーマがもっと表面的・露悪的になってしまったかもしれない。ゆっくりと体にしみこんでいくような力を持った作品だ。

（三辺律子）

# おわりに

「BOOKMARK」のはじまりは、二〇一五年。翻訳コンテストの審査員でごいっしょした金原さんの「来年サバティカルだから、翻訳文学を紹介する瓦版かなにか作りたい」という一言を真に受けて（真に受けたふりをして）、イラストレーターのオザワミカさんをひっぱりこんだのが、たしか春ごろ。「どうせなら冊子で！」「やっぱりカラーがいいよね」「全国の書店で配布できたら！」「一号ごとにテーマを決めよう」などと夢はどんどん膨らみ、「本の紹介は訳者の方に」という「BOOKMARK」のアイデンティティとも言える方針が決まって、〈もっと海外文学を！〉をモットーとした小冊子が誕生した。

誕生した――のだけど、三人とも基本、笊《ざる》【大ざっぱで抜けた所の多いものの意（精選版 日本国語大辞典）】。三人のメールで何度、「笊ですみません！」という一文が行き交ったことか……。ホームページ上で公開している正誤表を見ると、一号はTwitterのアカウントからしてまちがっている。だいたい、どうやって宣伝するのか、どうやって配るのか、そもそも六〇〇〇部（その後九〇〇〇部）も刷ってどこに置くのかも、なにも考えていなかった。おそろしい。

でも、次々と救いの手が差し伸べられた。「はじめての海外文学フェア」の仕掛け人・酒井七海さんから書店員さんのメーリングリストを紹介していただき、多くの書店員の方が配布店として手を挙げてくださった。一番にメールをくださったのが、青山ブックセンターの山下優さん。その時のうれしさは忘れられない。それから、ライブラリー・アド・サービスが、なんと書店と図書館への送付を一手に引き受けてくださった。そして、酒井謙次さんが各書店さんに宣伝・営業をして、さらに配布店を増やし、数号あとには、宮坂宏美さん、田中亜希子さん、中村久里子さんという、現役の翻訳者として活躍しているお三方が校正に加わった（もし一号から加わってくださっていたら、Twitterアカウントのミスもなかったはず……）。

そして、翻訳者の方々！　みなさん、快く訳書の紹介を引き受けてくださった。一冊の本に惚れこみ、編集者に売りこんで（あるいは編集者を共犯にし）企画を通したあとは、何か月も、時には何年もかけて訳し、世に送り出す。そんな翻訳者の書く紹介文は、それこそ愛がたっぷり詰まっていて、大きな反響を呼んだ。

さらに、巻頭エッセイを寄せてくださった方々‼　国内の作家の方々を中心に各分野で大活躍なさっているみなさんが、各号のテーマに沿って本の力について語ってくださった。魅力的なエッセイたちを、今回こうして本の形で残せることになり、本当にうれしい。

そうした方々と、そしてなにより「BOOKMARK」を楽しみにしてくださった読者の方々のおかげで、八年間楽しくやってこられたことに、心から感謝しています。

「はじめに」で金原さんも書いてらしたけれど、わたしも子どものころから海外文学を読んで育ってきた。古めかしいようふくだんすを見ると今でもドキドキするし、好きな動物はずっと黒ヒョウ。湖でのボート遊びに憧れ、「デボンシャー」のクリームをたっぷりつけたスコーンを食べるのが夢で、探偵団を実際に結成したりもした（まあ、メンバーは弟といとこたちだったけれど）。

大人になってからもそれは変わらず、コロンビアの蜃気楼の村に住む一族に目を瞠ったり、スウェーデンの片田舎でへたくそなロックに興じる若者たちに笑わされたり、チベットのヤクたちが草を食む光景を想像したりしている。イランのフェセンジャーンを食べてみたいし、ニューヨークでラップバトルも見てみたい。魔法学校にだって、あいかわらず憧れる。一方で、戦争や難民や人種差別や格差など世界が（もちろん日本も）抱えているさまざまな問題に、揺さぶられてもいる。

自分で経験できることにはかぎりがあるから本を、とか、想像力を育むために本をとか、手垢がついた言葉のように思えるけれど、でも本当なんだからしょうがない。とは言いつつ、最後にもうひとつ、やっぱり常套句なんだけど、本当だなあと思う言葉を。読書は最高の娯楽！

三辺律子

索引

［あ］

［か］

〔さ〕

［た］

［な］



［は］

［ま］

［や］



［ら］

［わ］

BOOKMARK
# 翻訳者による
# 海外文学ブックガイド 2

2023年8月4日　初版発行

編者　金原瑞人　三辺律子
発行者　菅沼博道
発行所　株式会社 CCCメディアハウス
〒141-8205 東京都品川区上大崎3丁目1番1号
電話　販売 049-293-9553
編集 03-5436-5735
http://books.cccmh.co.jp

装画　オザワミカ
装丁　川名潤
校正　株式会社 文字工房燦光
印刷・製本　株式会社 新藤慶昌堂


ISBN 978-4-484-22241-7